McDOUGAL LITTELL

¡En español!

ACTIVIDADES PARA TODOS

McDougal Littell
A HOUGHTON MIFFLIN COMPANY

Evanston, Illinois • Boston • Dallas

Actividades para todos

Copyright © 2000 by McDougal Littell Inc.

All rights reserved.

ISBN: 0-395-95328-6

2 3 4 5 6 7 8 9 —PBO—04 03 02 01 00

TABLE OF CONTENTS

¡En español! Level 1

Table of
Contents

Actividades para todos

TO THE TEACHER

Actividades para todos, which accompanies each level of *¡En español!,* provides clearly labeled activities for students of different ability levels in an easy-to-use copymaster format.

Actividades para todos addresses the individual needs of students each step of the way as they progress through the *¡En español!* Pupil's Editions. Leveled vocabulary, grammar and reading copymasters cover the material taught in every *etapa.* Within each category of practice there are three copymasters, each at a different level of difficulty (A, B and C). The A level is the easiest and C is the most challenging.

All of the communicative objectives for the etapa are practiced within each level of difficulty. In other words, if a student completes the A level copymasters for *Vocabulario, Gramática,* and *Lectura,* he or she will have covered all of the functions taught in that *etapa.* The same is true for the B and C levels.

The following sections are included in *Actividades para todos* for each *etapa:*

- *Vocabulario* A, B, C
- *Gramática* A, B, C
- *Lectura* A, B, C
- TPR Storytelling (Level 1)
- *Puntos adicionales* (Levels 2 and 3)
- Answer Key

Something for Everyone

Vocabulario Each page in this section has three activities that practice the *etapa* vocabulary. Activity 1 is always Controlled; Activity 2 is a Transitional activity, and Activity 3 is Open-ended. This sequence of activities is present within each level of difficulty throughout the *Vocabulario* section. The different levels of difficulty (A, B, and C) are distinguished by the amount of linguistic support the activities provide for the student.

Gramática This section follows the same pattern as the *Vocabulario* section and reinforces the grammar points taught in each *etapa.*

Lectura Each page in this section consists of a reading passage accompanied by *¿Comprendiste?* and *¿Qué piensas?* questions. Both the reading and the follow-up questions become more challenging as the level of difficulty increases. The majority of passages are realia-based, providing students with opportunities to experience language in a real-world context.

TPR Storytelling (Level 1) Created specifically for Total Physical Response and Storytelling, these *Mini-cuentos* appear at the end of each *etapa* of Level 1. Each *Mini-cuento* provides students with opportunities to learn *etapa* vocabulary through TPRS instruction. In addition, there are teaching strategies on pages 1–7 of Level 1.

Puntos adicionales (Levels 2 & 3) Extra-credit activities in the form of word finds, word jumbles, and crossword puzzles appear at the end of each *etapa* in Levels 2 and 3. These activities provide additional practice with *etapa* vocabulary.

Answer Key The Answer Key at the end of the book provides an easy way to grade each section of *Actividades para todos.*

TOTAL PHYSICAL RESPONSE STORYTELLING

Total Physical Response Storytelling (TPRS) is a method that uses stories and gestures to engage students mentally and physically in the language-learning process. This method has students recognize and recall language visually before they are asked to tell a story, thereby reducing the anxiety associated with language learning. The following suggestions for implementing TPRS can be modified to suit your individual teaching style.

Associate gestures with phrases In order to use TPRS in the classroom, first assign a gesture to represent each new word. Each gesture should be a simple, easy motion to represent a word. Suggestions for gestures are found in this book. Quickly explain in English so students clearly know the meanings of words. They should not be guessing meaning. Elaborate visuals that result in a game of charades to guess the meaning of each word are not necessary and will most likely be counterproductive, especially later, when telling the story. The use of gestures engages kinesthetic and visual learners as well as learners with strong verbal and auditory skills.

Present words in groups of three As you say a new phrase, produce its accompanying gesture. Have students imitate your gesture. Students should not speak. Present new phrases in groups of three. Once you think students have the three gestures right, allow them to produce the gestures as you say the words, without the support of your own gestures. Keep the pace lively. Mix the order in which the three words are presented. Finally, have students close their eyes and produce the gestures as you say the words. In this way you can check for individual comprehension. If more than three or four students open their eyes or do not know the vocabulary, present the words and gestures again. Once students know a group of three words, present three more. As students acquire each group of three words, begin mixing those words into the ones that were presented in earlier groups until students can produce the correct gesture for any word regardless of grouping.

Tell the story Once students know the gestures for the new vocabulary, tell the story, using the gestures. Retell the story several times. Have students produce the gestures as you tell the story. Check for comprehension by asking true/false or yes/no questions. Have students act out the story as you tell it. Quietly prompt the actors and actresses to exaggerate their actions and make the presentation entertaining for all.

Let the students tell the story Once students have correctly demonstrated the gestures as you tell the story, have them tell the story. Students may first want to practice saying the new vocabulary as they produce the gestures. Once they are comfortable saying the new vocabulary, students can then tell the story. Students may work in pairs, one student telling the story as the other produces the gestures. Working in groups, students can act out the story. One student may narrate as others act out the characters in the story. As an alternative to acting out the story, students may want to draw the story. Eventually, students should be able to create their own variations of the story by changing some details or the order of events. Students may also make up new stories using new and previously learned vocabulary. If they draw their new stories, they may "read" their drawings and tell the stories as others act them out.

¡En español! Level 1

Unit 1, Etapa 1

EL CONCURSO DE TALENTOS

TPRS Gestures

el concurso Mime giving an award.
bailar Mime dancing.
cantar Mime singing.
patinar Mime skating. (Ice skating is easier to mime than roller skating.)
comer Mime eating.
el maestro Mime writing on the board.
¿Te gusta? Trace your lips as you smile.
los estudiantes Mime reading a book.
la casa Hold your hands together to indicate a pointed roof.
mucho Hold your hands far apart as if holding a large ball.

Teaching Suggestions

- Before telling the story, write **el concurso** on the board. Mime different types of contests, such as a race or a contest in which objects or foods are awarded prizes. Mime being the judge and awarding a prize.

- Have students retell the story, substituting other activities that could be included in a contest.

Unit 1, Etapa 2

LA PRESENTACIÓN

TPRS Gestures

divertido Mime laughing.
la camiseta Mime putting on a T-shirt.
alto Hold one hand flat out to the side as high as you can reach.
bajo Drop one hand down from the previous position, but keep it flat.
delgado Hold your hands parallel about four inches apart in front of your face and move them down.
la chaqueta Mime putting on a jacket.

Teaching Suggestions

- Work with clothing colors and hair colors by going around the room and having students identify the colors of various items, including the hair color of other students.

- Keep the framework and ending the same, but vary the descriptions of how Enrique looks and what he's wearing.

Unit 1, Etapa 3

EL CUMPLEAÑOS DE ÓSCAR

TPRS Gestures

el cumpleaños Mime making a wish and blowing out birthday cake candles.
su primo menor Hold one hand out to the side, keeping it flat to indicate a person younger than yourself.
octubre Put your hands in front of your face to form a mask.
¡Qué chévere! Snap your fingers as you bob your head (Cool!).
tiene... años Use your hands to mime counting up to figure out someone's age.
diecisiete Mime counting up to 17 using your hands.
catorce Mime counting up to 14.
mayor Hold one hand to the side, reaching high.

Teaching Suggestions

- Before telling the story, write **el cumpleaños** on the board, then point to different dates on the calendar. If necessary, sketch a birthday cake before pointing to calendar dates.

- **planea** Mime writing a list and checking off items.

Unit 2, Etapa 1

MUCHAS COSAS

TPRS Gestures

la escuela Hold your hands together to indicate a pointed roof.

la mochila Mime putting on a backpack.

la calculadora Mime punching buttons.

el lápiz Mime writing and erasing.

el libro Mime opening a book.

la pluma Mime removing a cap and writing.

el diccionario Mime running your finger down the page.

el cuaderno Hold out both hands with the palms up.

el papel Hold out one hand with the palm up.

sacar una buena nota Hold up one hand, making an OK sign.

el examen Mime writing furiously.

las matemáticas Make a plus sign in the air.

la computación Mime using a computer keyboard.

Teaching Suggestions

- Before telling the story, work with students on vocabulary associated with classroom objects. School supplies can also be tied to specific subjects students are studying.

- Bring in a backpack full of school supplies. As you unpack each item, call on students to identify it.

- Use school supplies to review other concepts such as colors, numbers, and possession.

Unit 2, Etapa 2

¡ANDO TARDE!

TPRS Gestures

Son las... Mime looking at your watch.

el reloj Make a circle on your wrist.

la cafetería Mime holding a tray.

descansar Tilt your head and close your eyes.

la fruta Mime biting into an apple.

Teaching Suggestions

- Use a toy clock with movable hands to practice telling time (**siete y media, ocho**). If you prefer, draw a clock on a piece of poster board and attach hands using a brad. After practicing with the class as a group, divide the class into teams to compete in identifying the correct time.

- Have students draw on their own experiences to retell the story.

Unit 2, Etapa 3

UNA TARDE EN EL PARQUE

TPRS Gestures

el parque Use both hands to outline a tree.

caminan con el perro Mime walking a dog.

tiene sed Grasp your throat.

beber un refresco Mime drinking a bottle of soda.

tiene hambre Clutch your stomach.

la tienda Hold your hands together to indicate a pointed roof.

Teaching Suggestions

- **comer chicharrones** Give students the meaning of **chicharrones** before starting the story.

- Practice expressions with **tener** before telling the story.

Unit 3, Etapa 1

¿QUIERES ACOMPAÑARME…?

TPRS Gestures

él llama Mime picking up the phone, dialing, and talking to someone.

el teléfono Mime talking on the phone.

la máquina contestadora With your hands indicate a square.

¿Quieres acompañarme…? Extend an arm to the side as if offering a seat.

el cine Mime rolling a projector by hand.

está enferma Hold one hand to your forehead.

¿Te gustaría…? Trace your lips as you smile.

ir de compras Mime paying for something.

alquilamos un video Mime taking a video off a shelf.

Teaching Suggestions

- **deja un mensaje** Set up the vocabulary as messages placed around the answering machine prior to telling the story.

- Have students experiment with different excuses on the part of Sofía or different endings.

Unit 3, Etapa 2

DOS MUCHACHOS DIFERENTES

TPRS Gestures

el tenis Swing an arm out as if hitting a tennis ball with a racket.

levantar pesas Mime lifting weights.

andar en patineta Mime skateboarding; stand upright but wobble back and forth.

la tienda de deportes Hold your hands together to indicate a pointed roof.

el béisbol Mime a batter swinging.

el guante Mime catching a ball.

ganar Dance around with arms uplifted in V.

el surfing Mime surfing (similar to skateboarding), but gestures should be more dramatic.

él prefiere Mime taking something off a shelf.

él quiere Put your hands over your heart.

Teaching Suggestions

- Have students retell the story, substituting other sports they know.

Unit 3, Etapa 3

LAS VACACIONES

TPRS Gestures

esquiar Mime skiing.

la playa Mime waves with one hand.

las montañas Form several peaks by putting the fingertips of both hands together or drawing the outline of mountains in the air.

el bronceador Mime putting on suntan lotion, then fold your arms behind your head and tilt your face as if sunbathing.

las gafas de sol Mime putting on glasses.

el gorro Mime pulling a knit cap over your head.

la bufanda Mime wrapping a scarf around your neck.

el lago Make a circular motion with one hand.

Teaching Suggestions

- Before telling the story, write **las vacaciones** on the board and point to dates on the calendar to illustrate. Hold up magazine pictures of several possible vacation destinations and have students use **tener ganas de…** to indicate which they prefer.

- Have the students retell the story, substituting different vacation destinations and items at the store.

Unit 4, Etapa 1

¿CÓMO LLEGO A...?

TPRS Gestures

la papelería Hold up one hand with the palm up.

la pastelería Mime putting a pastry in your mouth.

la calle Look both ways.

la plaza Hold out one hand with the palm down and move it in a circular motion.

a la derecha Extend an arm to the right.

a la izquierda Extend an arm to the left.

el correo Mime putting a letter in a mailbox.

las esquinas Form a right angle with two fingers.

cruzar Cross your arms across your chest.

doblar Extend one arm forward and then off to the side.

Teaching Suggestions

- Have students change the directions that Erica and Sergio provide the tourist.
- Vary the stores being used in the **mini-cuento**.

Unit 4, Etapa 2

UN REGALO PARA MAMÁ

TPRS Gestures

el regalo Mime giving something to a person.

caro Rub a thumb and forefinger together.

barata Form a circle with one hand.

la pulsera Mime putting on a bracelet.

el efectivo Mime taking cash out of a wallet.

la tarjeta de crédito Mime paying with a credit card.

almuerzan Mime eating.

el disco compacto Mime listening to music (snapping fingers, bobbing head).

el anillo Mime putting on a ring.

volver Make a circular motion with one finger.

Teaching Suggestions

- Vary the items that Jane and Silvia look at and/or buy.

Unit 4, Etapa 3

¡PRIMERO, EL POSTRE!

TPRS Gestures

el mesero Mime writing an order in a notebook.

el pollo Mime eating fried chicken.

rico Lick your lips.

Quisiera... Mime looking at a menu and pointing with your index finger as if choosing an item.

la sopa Cup your hands as if around a bowl.

la ensalada Mime tossing a salad.

¿Me trae...? Bring hand toward you.

vegetariana Cross two index fingers.

el pastel Mime blowing out candles.

el postre Mime putting a spoon in your mouth.

Teaching Suggestions

- Introduce students to **flan** prior to telling the story by supplying a recipe and an explanation of the steps involved in making it.
- Have students use a restaurant setting to create their own **mini-cuentos**, then act them out.
- Replay the scene, varying the personalities of the waiter and the customers. For example, a haughty waiter, a talkative customer.

En español! Level 1

To the
Teacher

Actividades para todos

Unit 5, Etapa 1

¡DESPIÉRTATE, GUILLERMO!

TPRS Gestures

durmiendo Close your eyes.

el despertador Mime being rudely awakened; grope for machine to turn it off.

maquillarse Mime putting on makeup.

¡Despiértate! Mime trying to wake someone by shaking the person.

levantarse Mime getting out of bed.

lavarse la cara Mime washing your face.

ponerse la ropa Mime getting dressed.

peinarse Mime combing your hair.

lavándose los dientes Mime brushing your teeth.

ducharse Mime taking a shower.

Teaching Suggestions

- Use mime to contrast verbs used reflexively and not reflexively. For example, contrast **lavar/lavarse** and **despertar/despertarse**.

- Have students continue the story after the present ending. What happens to Guillermo?

Unit 5, Etapa 2

¿LA FIESTA DE QUIÉN?

TPRS Gestures

barre el suelo Mime sweeping the floor.

las aceitunas Mime putting an olive in your mouth with your thumb and forefinger.

el jamón Mime making a sandwich.

ordena las flores Mime smelling flowers, then placing them in a vase.

saca la basura Mime throwing a bag over your shoulder.

mueven los muebles Mime pushing something forward.

pasa la aspiradora Mime vacuuming.

quita el polvo Mime dusting.

Teaching Suggestions

- To teach **prepara las tapas** and **tapas** vocabulary, mount magazine or grocery store pictures on cardboard. These can also be used to contrast Mexican and Spanish meanings for **tortilla**.

- Go over the initial scene between Sandra and Beth before telling the story, since this will involve some improvisation involving review vocabulary. Students will likely need expressions such as **tener que, llover, poder,** and **llegar tarde**.

Unit 5, Etapa 3

UNA SORPRESA PARA MAMÁ

TPRS Gestures

¡Cállate! Put fingers to lips.

cocinar Mime cooking; pretend to stir something in a bowl, or mime flipping pancakes.

la mantequilla Mime slicing butter with a knife.

el frigorífico Mime opening the refrigerator door.

el aceite Mime pouring oil into a frying pan and tilting the pan to spread it.

el microondas Mime placing something in the microwave and pushing buttons.

la estufa Mime burning yourself on the stove; jerk your hand away.

el yogur Mime scooping yogurt out of a cup and into your mouth.

el zumo Mime cutting oranges, squeezing them, and pouring the juice into a glass.

los huevos Mime cracking eggs into a frying pan.

la leche Mime drinking.

sabroso Lick your lips.

Teaching Suggestions

- Cut pictures of food out of a magazine or supermarket flyer and paste them on index cards. Have students practice using the cards to talk about food.

- Give students the meaning of **las salchichas** prior to beginning the story.

- Before telling the story, act out the kitchen vocabulary in groups of words. For example, **estufa, microondas,** and **frigorífico** can be taught in one extended mime.

- Have students pick up where the story ends and imagine what happens after breakfast.

Unit 6, Etapa 1

LOS SUEÑOS DE PACO

TPRS Gestures

enorme Hold your hands out to the side and up as if indicating something very large.

el edificio Use your hands to frame the outline of a building.

moderna Mime polishing something.

lujoso Mime a chauffeur opening the door of a limo.

el hombre de negocios Mime talking on cell phone.

el fotógrafo Mime taking photographs.

el bombero Hold your hands in front of you, one overlapped over the other as if holding a hose. Mime putting out a fire.

Teaching Suggestions

Write the phrases that are direct dialog on the board so that students can read them while acting out the story.

Unit 6, Etapa 2

LA CARRERA DE ANIMALES

TPRS Gestures

el gallo Place your right hand on your right shoulder and your left wrist against your forehead so that your fingers dangle. Flap your right arm.

la gallina Place your right hand on your right shoulder and your left hand on your left shoulder. Bob your head and flap your arms.

la granja With your hands, frame the outline of a building.

el caballo Mime a drumming motion with your fingers like a horse galloping.

el cerdo Make a curly motion with a finger.

la vaca Mime a bell swinging below your neck.

el toro Hold your index fingers on either side of your head.

debajo de Point down.

el ganadero Mime throwing feed to chickens.

cerca Hold your hands in front of you, close together and tilted down so that the backs of your hands face the class.

Teaching Suggestions

- Teach the word **llama** prior to beginning the story.
- Write the phrases that are direct dialog on the board so that students can read them as they act out the story.
- Use classroom objects to practice location words such as **debajo de** and **encima de** prior to telling the story.

Unit 6, Etapa 3

POBRE HÉCTOR

TPRS Gestures

están hablando Rapidly move your thumbs toward the other fingers to indicate chatting (the gesture usually used to indicate someone talks too much).

está(n) Hold one hand out flat with the palm down.

puede Nod your head.

dijo Mime talking.

compró Mime buying something.

fue Make a quick outward motion with one hand.

dio Mime handing something to someone.

cortó Mime cutting with scissors, using the index and middle fingers as the blades.

va a tener Clasp both hands to your chest.

Vamos a... Gesture "come on" toward the class as a whole.

respondió Mime an eager student trying to get called on.

Teaching Suggestions

- Before teaching the story, review the verb tenses studied in the first five units.
- Before teaching the story, write on the board the infinitives of all the verbs used in the story. Briefly go over their meaning.
- Write the phrases of direct dialog on the board so that students can refer to them during the telling of the story.

HOLA! SOY DE... A

1 Encantado

Complete the following dialog between two young people.

> Me   llamas   gusto   Mucho   llamo

—Hola. ¿Cómo te _____?

—_____ llamo José. ¿Y tú?

—Me _____ Diana.

—_____ gusto, Diana.

—El _____ es mío, José.

2 El Caribe

Look at the map of the Caribbean. Write the names of the three Spanish-speaking countries.

1. _____

2. _____

3. _____

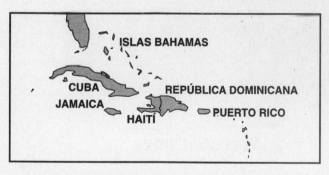

3 Hola

Use different expressions to say hello to each of these people.

1. Alejandro _____

2. Carlota _____

3. señor Díaz _____

4. señora López _____

¡HOLA! SOY DE...

ACTIVIDAD 1 Saludos

How would you respond if your teacher greeted you at the following times?

1. 8:30 A.M. _____

2. 2:15 P.M. _____

3. 8:20 P.M. _____

4. anytime _____

5. 10:30 A.M. _____

ACTIVIDAD 2 Países

Say that each person is from a Spanish-speaking country whose name begins with the same letter as his or her first name.

1. Vicente es de _____

2. Patricia es de _____

3. Nicolás es de _____

4. Mariana es de _____

5. Esteban es de _____

ACTIVIDAD 3 Presentaciones

Answer the following questions in Spanish.

1. ¿Cómo se llama la chica? _____

2. ¿Cómo se llama el chico? _____

3. ¿Cómo te llamas? _____

¡HOLA! SOY DE...

 **Sudamérica**

Write the names of six Spanish-speaking countries in South America.

_____   _____

_____   _____

_____   _____

 Saludos

Fill in the dialog bubbles with appropriate greetings.

1.   Carlos   Rosa

2.   Sr. Martín   Francisco

3 **Mucho gusto**

Write a dialog between two students who are meeting for the first time.

> Hola.   Mucho gusto.   Hasta luego.   Nos vemos.

_____

_____

_____

_____

_____

_____

Etapa preliminar
Actividades para todos
¡HOLA! SOY DE...

C

¿QUÉ DÍA ES HOY? A

ACTIVIDAD 1 ABC

Fill in the missing letters to complete each word. Use the pictures as clues.

1. ____aleta

2. ____araguas

3. ____ota

4. ____uevo

5. ____eloj

ACTIVIDAD 2 Números

Write out the number that comes next.

1. uno _____

2. cinco _____

3. ocho _____

4. tres _____

5. nueve _____

ACTIVIDAD 3 Los días de la semana

Finish writing the days of the week.

1. l _____

2. m _____

3. m _____

4. j _____

5. v _____

6. s _____

7. d _____

Actividades para todos
¿QUÉ DÍA ES HOY?

A

¿QUÉ DÍA ES HOY? B

1 Números de teléfono

Here is José's phone number. Write out the words for each digit in his number.
243-7196

_____

_____

_____

2 Frases útiles

Complete each phrase.

| mano | lápiz | libros | despacio | tarea |

1. Saquen un _____.

2. Levanten la _____.

3. Abran los _____.

4. Pásenme la _____.

5. Más _____, por favor.

3 Los días

Use the Spanish calendar to answer the questions.

| 4 lunes | 5 martes | 6 miércoles | 7 jueves | 8 viernes |

1. ¿Qué día es el seis? _____

2. ¿Qué día es el siete? _____

3. ¿Qué día es el cinco? _____

4. ¿Qué día es el ocho? _____

¿QUÉ DÍA ES HOY? C

1 **Secuencia**

Complete each sequence logically.

1. ce, de, e, efe, _____

2. ere, erre, ese, te, _____

3. lunes, martes, _____, jueves

4. jueves, _____, sábado, domingo

5. cero, dos, cuatro, _____, ocho

2 **¿Qué dice el maestro?**

Use the pictures to write what the teacher is saying.

1.  **2.** *Hasta luego* **3.**  **4.**

1._____

2._____

3._____

4._____

3 **Preguntas**

Answer each question.

1. Si hoy es lunes, ¿qué día es mañana? _____

2. Si mañana es viernes, ¿qué día es hoy? _____

3. ¿Cómo se llama tu maestro(a)? _____

4. ¿Cuál es tu teléfono? _____

VOCABULARIO

 **Saludos**

Complete the following dialogs, underlining the appropriate expression in parentheses.

1. **Elena:** ¿Qué tal, María?
   María: (De nada. / Estoy bien, gracias.)

2. **Alma:** José, (te / le) presento a mi amigo Jorge.
   José: Mucho gusto.

3. **Francisco:** ¿Cómo (está usted / estás), señor López?
   Señor López: Terrible.

4. **Gerardo:** Muchas gracias.
   Hombre: (Vivo en un apartamento. / De nada.)

② Encantado

Choose the appropriate phrases from the word bank to complete the dialog below.

> No muy bien   amiga   doctora   Le presento   Encantado

—Buenos días, señor Velásquez. _____ a la señorita Pérez. La señorita

Pérez es _____. Es una _____ de mi mamá. Vive

en una casa de la comunidad.

—_____, señorita Pérez. ¿Cómo está usted?

—_____, porque hoy es lunes.

③ ¿Qué te gusta?

Write two things you like to do during summer vacation; then write one that you don't like to do. You may want to use **bailar, correr, leer, trabajar, nadar, patinar.**

   modelo: <u>Me gusta patinar durante las vacaciones.</u>

_____

_____

_____

Nombre _____ Clase _____ Fecha _____

VOCABULARIO

 ¿Qué dicen?

The dialog below is out of order, even though each sentence is correct. Rewrite the dialog, placing it in logical order. (Hint: A speaker may have more than one thing to say before the next person talks.)

Mucho gusto, María. ¿Qué tal?

¿Y tú, cómo te llamas?

Regular.

Me llamo María Peralta.

Hola, me llamo Tomás Durán. Soy de Puerto Rico.

Estoy bien, ¿y tú?

_____

_____

_____

_____

2 ¿Qué le gusta?

Based on the picture clues, tell what each person likes to do.

modelo: Le gusta escribir.

_____

3 Me gusta

Make a list of some activities you like to do and some you don't like to do. Then write a sentence about two of them.

_____

_____

VOCABULARIO C

ACTIVIDAD 1 La familia de Oscar

Ted is showing his parents a photo of his best friend's family. Refer to the picture to help Ted finish his description with words from this **etapa.**

El _____ con su familia es mi amigo Oscar. La familia vive en

un _____. A Oscar le gusta _____ en el parque.

La _____ en la foto es la mamá de Oscar. A ella le gusta

_____ en el hospital. El _____ es el papá de Oscar.

A él le gusta _____ los libros y preparar las clases. El perro se llama

Sultán. A Sultán no le gusta _____ la música.

ACTIVIDAD 2 ¿Quién es?

Complete the sentences below with words from the word bank. Use the clues in the sentences to help you.

> policía   mujer   muchacho   familia

1. Marisol es _____ ; tiene un uniforme.

2. Tomás tiene una _____ grande; hay cuatro chicos y tres chicas.

3. La maestra Dietz es una _____ muy inteligente.

4. Te presento a mi amigo Eduardo, un _____ interesante y cómico.

ACTIVIDAD 3 Buenos días, señora

Write a short dialog in which you greet your teacher and chat briefly.

modelo: Buenos días, señora Marshall. ¿Cómo está usted?

_____

_____

_____

GRAMÁTICA

 1 **¿De dónde son?**

The following people come from different places in the United States. To state where they are from, underline the correct form of the verb **ser**.

1. Yolanda (soy/es) de Los Ángeles.

2. Ustedes (son/somos) de Nueva York.

3. Tú (es/eres) de San Antonio.

4. Nosotros (soy/somos) de Miami.

5. Yo (soy/es) de Chicago.

2 **¿Quién?**

Who is from where? Complete the sentences with the appropriate subject pronoun from the word bank.

> Yo   Tú   Nosotros
> Ustedes   Ella

1. _____ es de La Paz.

2. _____ son de Tijuana.

3. _____ somos de Santo Domingo.

4. _____ soy de Madrid.

5. _____ eres de Detroit.

3 **¿Y tú?**

Introduce yourself to the class, telling who you are and where you're from.

> **modelo:** <u>Me llamo Nilda y soy de Guatemala.</u>

_____

_____

GRAMÁTICA **B**

ACTIVIDAD 1 ¿De dónde son?

Ask if the following people are from the city mentioned. Use the appropriate form of the verb **ser**.

modelo: ustedes / Bogotá   ¿Ustedes son de Bogotá?

1. el maestro / Santiago _____

2. tú / Madrid _____

3. ellas / Buenos Aires _____

4. usted / Caracas _____

ACTIVIDAD 2 ¡No es verdad!

Your friend Patricia is describing a mutual friend; however, you wonder if she's talking about the same person. Correct her statements.

—Nuestro amigo Arturo vive en un apartamento.

—¡No es verdad! Arturo _____.

—A Arturo le gusta correr y nadar.

—Al contrario. A Arturo _____.

—Arturo es policía.

—No, Arturo es _____ como nosotros.

—Arturo es de Montevideo.

—¡Arturo no es de Montevideo; _____!

ACTIVIDAD 3 ¡Qué imaginación!

Use your imagination to create a new you. Tell who you are and a little about yourself.

modelo: Me llamo Isabel. Soy de España. Me gusta patinar y bailar.

_____

_____

_____

GRAMÁTICA

ACTIVIDAD 1 El mundo es un pañuelo

Some exchange students come to your school. Use the verb **ser** to tell what city they are from. Include their country of origin if you know it.

1. ellas / Barcelona _____

2. Francisco / Lima _____

3. yo / Buenos Aires _____

4. nosotros / Bogotá _____

ACTIVIDAD 2 ¿Quién?

You missed some important parts of a conversation—the names of the people being discussed! Replace the underlined subject pronouns with names from the word bank. Write out each sentence.

el señor Vargas

Elisa y Patricia

Miguel y Esteban

1. <u>Ellas</u> son de Puerto Rico y son estudiantes.

_____

2. <u>Él</u> es mi profesor de español.

_____

3. <u>Ellos</u> son policías.

_____

ACTIVIDAD 3 Un invitado

Introduce a friend to a student you have invited to your party. Tell where the student is from and one thing he or she likes to do. Write at least three sentences.

modelo: <u>Te presento a Fernando. Él es de…</u>

_____

_____

_____

LECTURA

Read the beach club application shown, then answer the questions.

Solicitud para tarjeta de identificación
Club de Playa Hermosa

NOMBRE: *Vicente Vásquez*
DIRECCIÓN: *521 SW 8th St.*
Miami, FL
TELÉFONO: *(305) 858-1161*

FECHA DE NACIMIENTO[1]: *20 de abril, 1982*

ACTIVIDADES FAVORITAS:
Me gusta nadar y patinar

[1] birth

¿Comprendiste?

Complete the sentences using information from the reading.

1. Él se llama _____.

2. Le gusta _____ y _____.

3. Él es de _____.

4. Su teléfono es _____.

¿Qué piensas?

1. ¿Te gusta nadar y patinar? Compara tus actividades favoritas con las actividades favoritas de Vicente.

_____

2. ¿Te gusta participar en los clubes? ¿Qué club te gusta? _____

_____

En español! Level 1

LECTURA

Read the following letter Elena has written to her new pen pal. Then answer the questions.

> *3 de junio*
>
> *¡Hola! Me llamo Elena Martínez.*
>
> *Soy de Florida. Mi familia es de Puerto Rico. Me gusta cantar. También me gusta mucho bailar. Como ejercicio, me gusta correr y nadar. Vivo en un apartamento en San Juan.*
>
> *¡Hasta luego!*
> *Elena*

¿Comprendiste?

Complete the following sentences using information from the reading.

1. Ella se llama _____.

2. Como ejercicio, le gusta _____ y _____.

3. Ella es de _____.

4. Le gusta mucho _____.

¿Qué piensas?

1. En tu opinión, ¿es buena idea tener un amigo por correspondencia?

   _____

2. Compara tus actividades favoritas con las actividades favoritas de Elena.

   _____

Nombre _____ Clase _____ Fecha _____

LECTURA C

Read the following introduction Guillermo wrote about his friend Rafael, then answer the questions.

Te presento a mi amigo Rafael

Mi amigo Rafael es un chico especial. Le gusta el béisbol, especialmente los Padres. También le gusta patinar, pero no le gusta estudiar. Le gusta leer, cantar y nadar. ¡Le gusta mucho escuchar música latina! A Rafael no le gusta comer en la escuela; ¡no le gusta la comida!

¿Comprendiste?

Tell whether or not Rafael likes the following activities. If you can't tell from the reading, write **No sé.** *(I don't know).*

1. estudiar_____

4. bailar_____

2. leer _____

5. comer en la escuela _____

3. escuchar música rock_____

¿Qué piensas?

1. ¿Te gusta comer en la escuela? Describe tus experiencias. _____

_____

2. ¿Tienes un(a) amigo(a) especial? ¿Cómo se llama?_____

_____

TPR STORYTELLING

Vocabulario

el concurso	cantar	comer	¿Te gusta?	la casa
bailar	patinar	el maestro	los estudiantes	mucho

Mini-cuento: El concurso de talentos

El maestro Vázquez anuncia un concurso de talentos. Los estudiantes responden. Paula, Paco y Esteban van a la casa de Paco. Paula le pregunta a cada chico: «¿Qué te gusta hacer?» A Paula le gusta bailar y patinar. A Paco le gusta cantar. A Esteban no le gusta bailar. No le gusta cantar. ¡Pero le gusta comer mucho! ¡No es ese tipo de concurso!

VOCABULARIO

ACTIVIDAD 1 **Los opuestos**

Write the adjective that is opposite in meaning to the one given.

1. alto _____

2. grande _____

3. trabajador _____

4. cómico _____

5. guapo _____

ACTIVIDAD 2 **¿De qué color es...?**

Write the color you would associate with the following.

1.

_____

2.

_____

3.

_____

4.
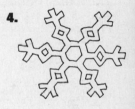
_____

ACTIVIDAD 3 **¿Cómo eres?**

Describe yourself, including a description of your hair and eyes.

   modelo: <u>Soy muy alta y tengo los ojos verdes…</u>

_____

_____

_____

VOCABULARIO B

ACTIVIDAD 1 Creo que sí / Creo que no

Who would wear the clothing mentioned on the day given? Guillermo lives in Maine; Lucinda lives in Miami.

	Guillermo January 15	Lucinda July 4
1. una camiseta	_____	_____
2. un suéter	_____	_____
3. una chaqueta	_____	_____
4. unos pantalones	_____	_____

ACTIVIDAD 2 ¡Al contrario!

Your best friends Julio and Julia are twins, but they seem to be complete opposites. Describe Julia, based on the description of Julio.

> Mi amigo Julio es alto. Es muy trabajador.
> Tiene el pelo largo. Es interesante y cómico.

_____

_____

_____

ACTIVIDAD 3 La mascota más interesante

You want to enter your pet in a contest for the most interesting cat or dog. First, make a list of adjectives to describe the appearance and personality of a cat or dog you've known. Then write at least three sentences.

modelo: Mi gato Rufo es muy cómico…

_____

_____

_____

VOCABULARIO C

ACTIVIDAD 1 Probablemente

Using the picture clues, finish each sentence with one or two adjectives that describe
what type of person you think each one is.

1. Ella es _____.

2. Él es _____.

3. Él es _____.

4. Ella es _____.

ACTIVIDAD 2 Decisiones, decisiones

You're deciding what to wear this week. After each activity below, list some items you
want to include in your outfit. Include the color of each.

1. la fiesta de Linda _____

2. la clase de español _____

3. para correr con el perro _____

ACTIVIDAD 3 ¡Qué chico interesante!

Your friend has set you up with a blind date. Write a description of the person you'd
like to meet. Include clothing and colors.

modelo: Carlos es un chico muy divertido y paciente. Él es alto y rubio con el
pelo largo. Él lleva los pantalones amarillos y una camisa roja…

_____

_____

_____

GRAMÁTICA A

ACTIVIDAD 1 De compras

You are making a shopping list before buying clothes for the new school year. Add the appropriate indefinite article to each item to complete your list.

_____ camisas

_____ calcetines

_____ suéter

_____ camiseta

_____ pantalones

_____ jeans

_____ zapatos

ACTIVIDAD 2 ¿Quién es?

Read the following descriptions. Are they describing Raúl or Graciela? Write the name of the person they're describing, then add another sentence describing him or her.

modelo: Es cómico.
Raúl/Raúl es divertido.

1. Es trabajadora. _____

2. Es perezoso. _____

3. Es guapo. _____

4. Es alta. _____

ACTIVIDAD 3 Realmente no le gusta

Describe at least three items that your best friend would never wear. Include the color.

modelo: Dorotea no lleva los zapatos rojos, pantalones amarillos,...

_____

_____

_____

_____

GRAMÁTICA B

ACTIVIDAD 1 ¿Qué lleva?

To find out what the new girl in class is wearing, complete the paragraph with the appropriate indefinite article in each blank.

Antonia es de Colombia. Hoy lleva _____ pantalones rojos y

_____ camisa anaranjada. También lleva _____ zapatos

verdes con _____ calcetines morados. ¡Finalmente lleva

_____ sombrero amarillo!

ACTIVIDAD 2 ¿Cómo son?

Describe what the following people are like, choosing the adjective that corresponds to the subject.

1. Luisa es (inteligentes / bonita).

2. Julio y Miguel son (fuertes / altas).

3. Raúl no es (alto / perezosa).

4. Rosalinda y Graciela son (serios / pacientes).

ACTIVIDAD 3 La amiga ideal

Make a list of adjectives to describe the ideal female friend. Then write a short paragraph describing her.

modelo: Lourdes es inteligente y divertida…

_____

_____

_____

_____

GRAMÁTICA C

ACTIVIDAD 1 ¡No es así!

First impressions are not always accurate. Write a sentence stating that the people are not like the adjective mentioned but rather just the opposite.

Alma y Graciela / trabajador_____

el señor García / aburrido_____

David y Francisco / feo_____

Josefina / grande_____

ACTIVIDAD 2 ¿Qué llevan?

Describe what each person is wearing. Include the appropriate indefinite article and a color.

_____

_____

_____

_____

_____

_____

_____

_____

ACTIVIDAD 3 Los opuestos se atraen

Think of a male friend and a female friend who are complete opposites. Describe each one. If you can't think of two real people, invent some!

modelo: Mi amiga Ana es muy trabajadora, pero mi amigo Juan es muy perezoso.

_____

_____

_____

LECTURA

....

¿Cuál es tu color favorito?

The color you prefer may tell something about your personality! Or so some people say. Read the following chart, then answer the questions.

Color	Personalidad
amarillo	sociable
azul	simpático(a)
blanco	elegante
anaranjado	ambicioso(a)
negro	serio(a)
rojo	romántico(a)
verde	trabajador(a)

¿Comprendiste?

Read the following statements and decide whether they're true (**cierto**) or false (**falso**) based on the chart above.

1. Si te gusta llevar ropa negra, eres muy divertido(a). _____

2. Si te gusta el verde, eres perezoso(a). _____

3. Si te gusta el rojo, el romance es importante._____

4. Si te gusta el amarillo, te gusta hablar con las personas._____

¿Qué piensas?

Here are some other personality descriptions. With which color do you associate each of them?

1. aburrido(a)_____

2. paciente _____

3. divertido(a) _____

4. inteligente _____

5. perezoso(a)_____

LECTURA

Read this article about wearing uniforms to school, then answer the questions.

¡Es necesario llevar uniformes a la clase!

Los chicos llevan pantalones azules y una camisa blanca. También llevan calcetines blancos y zapatos negros.

Las chicas llevan una falda azul y una blusa blanca. Llevan también calcetines blancos y zapatos negros.

¿Comprendiste?

Who would wear the following: Raúl, María, or both of them?

falda azul _____

camisa blanca _____

calcetines blancos _____

zapatos negros _____

blusa blanca _____

¿Qué piensas?

1. ¿Te gusta la idea de llevar uniforme a la escuela? _____

_____

2. En tu opinión, ¿son feos o bonitos estos uniformes? _____

_____

_____

_____

LECTURA C

Read the following story about the life of Selena, a popular Tejana singer who died tragically when she was only 23 years old. Then answer the questions.

Selena

Se llama Selena Quintanilla Pérez. Es una cantante muy popular de la música tejana. Su música es especialmente popular en el sur de Estados Unidos. Ella es de Lake Jackson, Texas. Después su familia vive en Corpus Christi. Cuando tiene ocho años, canta en el restaurante de su familia. Tiene un grupo que se llama Los Dinos. Cuando tiene sólo quince años, recibe el premio a la mejor cantante de música tejana del año. En 1994 recibe un Grammy. En 1995 muere trágicamente.

¿Comprendiste?

Are the following sentences true or false? Respond using **cierto** or **falso.**

1. Selena es popular en Texas. _____

2. Selena es de California. _____

3. Le gusta cantar en un grupo musical, Los Dinos._____

4. Selena vive en Miami. _____

¿Qué piensas?

1. ¿Qué tipo de música te gusta? ¿Te gusta la música tejana?_____

_____

2. En tu opinión, ¿es importante escuchar la música de muchas culturas? _____

_____

Unidad 1
Etapa 2

Actividades para todos
LECTURA

C

¡En español! Level 1   **Unidad 1, Etapa 2**
Actividades para todos   **33**
LECTURA C

TPR STORYTELLING

Vocabulario

divertido   alto   negra   delgado   castaño
la camiseta   bajo   blanca   rubio   la chaqueta

Mini-cuento: La presentación

María y Jaime hablan en la cafetería. María le pregunta a Jaime si le gusta hablar con Enrique. Hay muchos estudiantes en la cafetería. Jaime no puede ver a Enrique. Jaime pregunta: «¿Es el muchacho bajo y rubio con una chaqueta negra?» María responde: «No». Enrique es alto y delgado, con pelo castaño. Tiene una camiseta blanca. Finalmente María decide presentarlos. ¡Es muy divertido! ¡Enrique es un gran amigo de Jaime!

VOCABULARIO

 1 **¿Es cierto?**

Look at my family tree and then decide if the statements that follow are true or not. If true, write **Es cierto**; if not, write **No es cierto**.

Carlota ——┬—— Manuel

Vicente —— Rosalinda   Carmen —— Emilio

Roberto   Tomás   Sofía   yo   Lupita

1. Roberto es mi tío. _____

2. Lupita es mi hermana. _____

3. Carlota y Manuel son mis padres. _____

4. Rosalinda es mi prima. _____

5. Carmen es mi madre. _____

2 **Más o menos**

Solve the math problems in Spanish. Spell out the answers. **Más** means you should add the numbers; **menos** means you should subtract the numbers.

1. veintiuno menos siete _____

2. cuarenta y cinco más trece _____

3. sesenta menos treinta y cuatro _____

4. ochenta y dos menos treinta y nueve _____

5. setenta y nueve más dieciocho _____

3 **¿Cuándo es tu cumpleaños?**

Write when your birthday is, writing out all the numbers. Then write the birthday of a friend.

> **modelo:** Mi cumpleaños es el veintidós de octubre.
> El cumpleaños de Rosa es el dos de marzo.

_____

_____

VOCABULARIO

 1 ¿Quiénes son?

Read each description and tell which family member is being mentioned.

1. el padre de mi padre _____

2. la hermana de mi madre _____

3. el esposo de mi abuela _____

4. la hija de mi tío _____

5. el hijo de mi madre _____

2 ¿Cuántos hay?

Tell how many of each of the following there are. Spell out all numbers.

1. stars on the U.S. flag _____

2. days in the month of December _____

3. years in a century _____

4. hours in a day _____

3 ¿Cuántos años tienen?

Tell the ages of five people related to you.

modelo: Mi hermana tiene trece años.

_____

_____

_____

_____

_____

VOCABULARIO

 1 La palabra exacta

Complete these sentences with a word from the word bank.

> edad   fecha   joven   mayor   menor   viejo

1. Raúl tiene doce años; él es _____.

2. Javier tiene trece años; él es el hermano _____.

3. Mi abuelo tiene ochenta y cinco años; él es _____.

4. La _____ de mi cumpleaños es el ocho de abril.

5. Mi papá tiene cincuenta años y mi mamá tiene cuarenta y siete años.

Mi mamá es _____ que mi papá.

2 Ya sabes mucho

To show how much you have already learned in Spanish, answer the following questions in complete sentences.

> **modelo:** ¿Cómo se llama tu perro?
> <u>Mi perro se llama Fluff.</u>

1. ¿Cuál es la fecha de hoy? _____

2. ¿Cómo se llama tu papá? _____

3. ¿Y tu mamá? _____

4. ¿Cuántos años tienes? _____

3 ¡Una celebración nueva!

You've decided to create a new holiday. Pick a date for it and mention what you're celebrating. You can also mention how you celebrate, if you like.

> **modelo:** <u>La fecha de mi día festivo es el seis de octubre. El día se llama «El día de las mascotas». Mi familia tiene ocho mascotas: seis gatos y dos perros.</u>

_____

_____

_____

GRAMÁTICA

 1 **¡La ropa!**

Tell what color clothing each person has, using the appropriate form of the verb **tener**.

1. Julio _____ unos zapatos azules.

2. Yo _____ mis calcetines rojos.

3. Rosa y Luisa _____ unas faldas negras.

4. Nosotros _____ unas chaquetas blancas.

5. Y tú, ¿qué _____?

 2 **¿Cuándo es su cumpleaños?**

Read the following names and dates, then tell whose birthday is when.

> **modelo:** 8/4 Gregorio
> El cumpleaños de Gregorio es el ocho de abril.

1. 30/11 Ana _____

2. 12/9 mi mamá _____

3. 1/2 Roberto _____

4. 14/7 Francisca _____

 3 **Tu familia**

Tell when the birthdays of five family members or friends are.

> **modelo:** El cumpleaños de mi madre es el siete de agosto.

_____

_____

_____

_____

_____

Actividades para todos
GRAMÁTICA

Unidad 1
Etapa 3

A

GRAMÁTICA

 ¡Tanta ropa!

The following people have more clothes than they need. Tell what each person has and how many.

1. Luisa / 15 / _____

2. yo / 23 / _____

3. mis tíos / 38 / _____

4. nosotras / 19 / _____

 La familia de...

Look at the family tree and describe the relationship between each set of people.

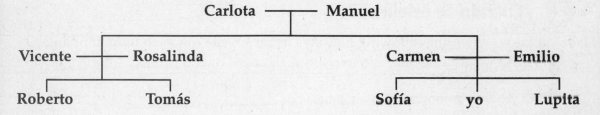

modelo: Rosalinda / Sofía
Rosalinda es la tía de Sofía.

1. Vicente / Tomás _____

2. Sofía / Roberto _____

3. Manuel / Sofía _____

4. Emilio / Roberto _____

 ¿Qué edad tiene?

Say how old two people in your family are.

modelo: Mi hermano tiene dieciséis años.

_____

_____

_____

GRAMÁTICA

ACTIVIDAD 1 ¿Quién tiene qué?

Each person is responsible for packing his or her own clothes for the family vacation. Say what each person has, using the appropriate form of the verb **tener** and the corresponding possessive adjective.

> **modelo:** Felipe / suéter
> <u>Felipe tiene su suéter.</u>

1. Carlos / chaqueta _____

2. yo / pantalones _____

3. nosotros / zapatos _____

4. Paula / faldas _____

5. tú / suéter _____

ACTIVIDAD 2 ¿Cuándo se celebra...?

Do you know when the following holidays occur? Write out each date in Spanish.

1. el Año Nuevo _____

2. el Día de San Valentín _____

3. el Día de la Independencia (Estados Unidos) _____

4. el Día de la Raza (*Columbus Day*) _____

ACTIVIDAD 3 Tu familia

Write a short paragraph about your family (mentioning at least five people). Include the birthday for each person.

_____

_____

_____

_____

_____

_____

LECTURA A

··

¡Viva México!

Here are some important holidays in Mexico. Read the list, then answer the questions.

el 21 de marzo . . . . el cumpleaños de Benito Juárez

el 5 de mayo. . . . . la batalla de Puebla

el 16 de septiembre . . . . el Día de la Independencia

el 12 de octubre . . . . el Día de la Raza

el 2 de noviembre . . . . el Día de los Muertos

el 12 de diciembre . . . . el Día de Nuestra Señora de Guadalupe

¿Comprendiste?

Write the date when the following are celebrated in Mexico.
Use this format: el 4 de julio.

el Día de la Raza _____

el Día de la Independencia _____

la batalla de Puebla _____

el Día de los Muertos_____

el cumpleaños de Benito Juárez _____

¿Qué piensas?

1. ¿Cuál es tu día festivo favorito? ¿Cuándo es?_____

2. ¿Qué te gusta hacer en ese día? _____

_____

_____

LECTURA B

Una entrevista

Read the following interview, and then answer the questions.

—Hola. ¿Cómo te llamas?

—Me llamo Jaime Casas.

—¿Cuántos años tienes?

—Tengo catorce años.

—¿Cuándo es tu cumpleaños?

—Mi cumpleaños es el 2 de abril.

—¿Tienes hermanos?

—Sí, tengo dos hermanas y un hermano.

—¿Cuántos años tienen?

—Mis hermanas son mayores. Tienen veintiún y dieciocho años. Mi hermano es menor. Tiene doce años.

—¿Son simpáticos tus padres?

—Sí, pero son estrictos también.

—¿Te gusta mucho trabajar?

—No, en realidad soy muy perezoso.

¿Comprendiste?

Who is being described in each sentence: Jaime, a brother, a sister, or his parents?

1. Tiene dieciocho años. _____

2. No es trabajador. _____

3. Tiene catorce años. _____

4. Son estrictos. _____

5. Tiene doce años. _____

¿Qué piensas?

1. ¿Te gusta mucho trabajar? _____

2. ¿Son simpáticos tus padres? _____

3. ¿Es mejor ser hermano(a) menor o hermano(a) mayor? _____

_____

**Unidad 1
Etapa 3**

**Actividades para todos
LECTURA**

B

42 **Unidad 1, Etapa 3
Actividades para todos
LECTURA B**

¡En español! Level

LECTURA C

Una quinceañera

Read this article about a girl who is celebrating a special birthday. Then do the activities that follow.

Una quinceañera

Natalia Moreno es de San Diego. Sus padres son de México. Su cumpleaños es el once de marzo. Ahora tiene quince años. Por eso, hay una fiesta especial para su familia y sus amigos. Hay ochenta personas. Hay mucha familia que celebra con Natalia: sus padres, abuelos, hermanos, tíos y primos. También hay un grupo de música mexicana, porque a Natalia le gusta mucho bailar.

¿Comprendiste?

A fellow student who was assigned to write about Natalia's party accidentally wrote down some incorrect information. Correct his notes.

1. Natalia Moreno es de México. _____

2. Tiene catorce años. _____

3. Hay cien personas. _____

4. A Natalia le gusta cantar. _____

5. Hay un grupo de música clásica. _____

¿Qué piensas?

1. ¿Te gusta tener las fiestas de cumpleaños? _____

2. ¿Qué ropa llevas a una fiesta de cumpleaños? _____
_____

3. ¿Cuál es un cumpleaños importante para ti? _____
_____
_____

TPR STORYTELLING

Vocabulario

el cumpleaños	octubre	tiene... años	catorce
su primo menor	¡Qué chévere!	diecisiete	mayor

Mini-cuento: El cumpleaños de Óscar

A Cristina le gusta celebrar el cumpleaños de su primo menor, Óscar. Ella planea una fiesta de sorpresa. El cumpleaños de Óscar es el seis de octubre. Él tiene diecisiete años. Cristina invita a catorce personas. Óscar está muy sorprendido. Pero Cristina está sorprendida también. Isabel es mayor que Óscar, pero tiene el mismo cumpleaños. ¡Todos celebran los dos cumpleaños! ¡Qué chévere!

VOCABULARIO

1 Palabras, palabras

Match each word in the first column with a word in the second column that you associate with it.

1. la calculadora

2. el español

3. el pizarrón

4. la computadora

a. el diccionario

b. la impresora

c. las matemáticas

d. la tiza

2 ¡Hay mucho que hacer en la escuela!

Complete each sentence by selecting the most logical response.

1. Tengo que estudiar porque mañana hay (prueba / libro) en la clase de español.

2. No saco buenas notas en la clase de historia. Estudio mucho pero la clase es muy (fácil / difícil).

3. Llevo mis libros, cuadernos y lápices a la escuela en mi (computadora / mochila).

4. Cuando escribo en el pizarrón, uso (pluma / tiza).

3 Hay mucho en mi mochila

Make a list of everything you need to take home to study. Use the art for ideas.

_____

_____

_____

VOCABULARIO

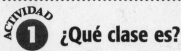 **¿Qué clase es?**

Write the name of the school subject in which you would need each list of materials. In some cases there may be several possible answers.

1. pluma, cuaderno, diccionario, libro _____

2. calculadora, cuaderno, lápiz _____

3. impresora, ratón, teclado _____

4. lápiz, borrador, papel _____

ACTIVIDAD 2 ¡No, no y no!

Luis is very mixed up. Read what he says, then rewrite each statement so that it makes sense.

1. Uso tiza para escribir en el cuaderno. _____

_____

2. En la clase de educación física uso la computadora. _____

_____

3. Llevo mis libros a casa en un escritorio. _____

_____

4. Saco malas notas porque estudio mucho. _____

_____

ACTIVIDAD 3 ¿Qué necesitas?

For each class that you have, tell one thing that you need. Use a different item for each class. Write at least three complete sentences.

_____

_____

_____

_____

VOCABULARIO

 ¡Adivina lo que es!

Complete the following sentences.

1. Llevo mis libros a la escuela en _____.

2. Necesito _____ para escribir en la computadora.

3. Escribo en mi cuaderno con _____.

4. Uso tiza para escribir en _____.

2 Es verdad

Use the drawings as clues to help you finish the sentences.

1. Todos los días tengo clase de _____.

2. Mi clase favorita es la clase de _____.

3. Para mí, la clase de _____ es fácil.

4. Me gusta mi clase de _____ porque me gusta leer.

 **Un estudiante de intercambio**

You will be hosting an exchange student from Mexico during the next school year. Write a short letter telling him or her what supplies to get for school. Follow the model.

modelo: Necesitas un borrador y un lápiz.

_____

_____

_____

_____

GRAMÁTICA

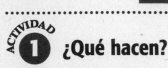 **¿Qué hacen?**

Underline the word that best completes each sentence.

1. El profesor (habla / hablo) español.

2. Yo (buscan / busco) mi libro de matemáticas.

3. Anita (uso / usa) un lápiz cuando prepara su tarea.

4. Mi hermano y yo (ayudamos / ayudan) a nuestros padres en casa.

5. Mariana y Felipe (sacan / sacamos) malas notas en la clase de educación física.

ACTIVIDAD 2 ¿Con qué frecuencia?

Based on the clues, tell how often each person does the action mentioned. Follow the model.

> **modelo:** (No) mi tío y yo / hablar inglés
> <u>Mi tío y yo nunca hablamos inglés.</u>

1. (4 / semana) yo / preparar la tarea _____

2. (1 / año) mi papá / usar la computadora _____

3. (1 / día) mis hermanos / ayudar en casa _____

4. (2 / mes) mi mamá / escuchar música _____

ACTIVIDAD 3 ¿Qué tienes que hacer?

Use **tener que** to make a list of things different people have to do.

> **modelo:** <u>El señor Gómez tiene que trabajar el lunes...</u>

_____

_____

_____

_____

_____

GRAMÁTICA

1 Un estudiante modelo

Alexandra is trying to tell her brother why he doesn't do better in school. Use the appropriate form of the verbs shown to complete the dialog.

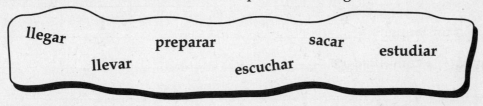

llegar   preparar   sacar   estudiar
    llevar   escuchar

Alexandra: El estudiante ideal nunca _____ tarde a clase. Los estudiantes
ideales _____ a la maestra y _____ la tarea.

José Luis: Yo _____ mis libros a clase, pero tú _____ buenas notas.

Alexandra: ¡Es porque tú no _____ los libros!

2 ¿Frecuentemente o no?

Tell how often you do these activities.

1. escuchar música tejana _____

2. hablar con los amigos _____

3. llegar tarde a clase _____

4. usar la computadora _____

5. ayudar en casa _____

3 ¿Hay que hacerlo?

Make a list of the things one must do to be successful in school. Then write four sentences, including the idea of "one must."

    modelo: Hay que preparar la tarea.

_____

_____

_____

_____

Unidad 2 Etapa 1

Actividades para todos GRAMÁTICA

C

GRAMÁTICA

 1 Muchas posibilidades

Write sentences with phrases that say how often each person does something.

1. el señor Montes / inglés _____.

2. yo / con mis amigos _____.

3. nosotros / la computadora _____.

4. tú / a tus padres _____.

 2 No puedo

A classmate invites you to do several things this weekend, but you are not really interested in doing them. For each suggestion, make an excuse, saying that you have to do something else. Follow the model.

modelo: ¿Nadamos? <u>No, tengo que estudiar.</u>

1. ¿Miramos televisión? _____

2. ¿Hablamos por teléfono? _____

3. ¿Escuchamos música? _____

4. ¿Patinamos? _____

3 Una carta

You have a new pen pal from Argentina. Describe two things that you do and how often you do each one. Finally, ask your pen pal if he or she does one of the things you do.

_____

_____

_____

_____

_____

LECTURA

¹ stores

¿Comprendiste?

Read the following statements and decide if they're true **(cierto)** or false **(falso)**. Circle the corresponding letter.

C   F   **1.** La tienda tiene diccionarios.

C   F   **2.** La tienda tiene plumas pero no tiene calculadoras.

C   F   **3.** Las calculadoras cuestan *(cost)* veintiséis pesos.

C   F   **4.** En octubre la tienda tiene dos cuadernos por ocho pesos.

¿Qué piensas?

1. En tu opinión, ¿necesitas calculadoras para la clase de matemáticas? Explica.

_____

2. En tu opinión, ¿siempre necesitas una mochila nueva para la escuela cada

septiembre? Explica. _____

Nombre _____ Clase _____ Fecha _____

LECTURA B

Read Luisa's list of personal goals and then answer the questions.

Cosas que tengo que hacer

Tengo que estudiar todos los días.

Tengo que nadar de vez en cuando.

Tengo que hablar con mi maestro.

Tengo que escribir mucho.

Tengo que cantar de vez en cuando.

Tengo que leer mucho.

Siempre tengo que sacar buenas notas.

Tengo que bailar. ¡Siempre!

¿Comprendiste?

1. ¿Qué tiene que hacer Luisa todos los días? _____

2. ¿Qué tiene que hacer Luisa de vez en cuando? _____

3. ¿Qué tiene que hacer Luisa siempre? _____

¿Qué piensas?

1. ¿Te gusta lo que tiene que hacer Luisa? Explica. _____

    _____

2. ¿Por qué Luisa tiene que leer mucho? _____

    _____

LECTURA

Read the following excerpt taken from a computer class. Then answer the questions.

¡Internet tiene de todo!

www.film100.com
Si te gusta el cine[1]...
En este «web» están las biografías de los cien actores, actrices y directores más
importantes de la historia del cine.

www.laatlantida.com
Si te gustan los deportes...
Tenis, béisbol, fútbol... Para los «fans» del deporte[2], aquí se va a «chats», grupos de
noticias, tiendas y ligas mundiales[3].

www.ciudadfutura.com/spacesite/index.html
Si te interesa el espacio[4]...
Esta página tiene información y conexiones sobre proyectos de las agencias
espaciales.

---

[1] movies   [2] sport   [3] world leagues   [4] space

¿Comprendiste?

1. Si te gusta el golf, ¿adónde vas en Internet? _____

2. Si tienes que preparar la tarea para tu clase de ciencias, ¿adónde vas en Internet?

_____

3. Si quieres leer sobre Robert Redford, ¿adónde vas en Internet?

_____

Qué piensas?

1. ¿Cómo usas las computadoras en tus clases? _____

_____

2. ¿Te gusta usar las computadoras? Explica. _____

_____

Nombre _____ Clase _____ Fecha _____

TPR STORYTELLING

Vocabulario

la escuela	la pluma	el examen
la mochila	el diccionario	las matemáticas
la calculadora	el cuaderno	la computación
el lápiz	el papel	
el libro	sacar una buena nota	

Mini-cuento: Muchas cosas

Las hermanas Isabel y Susana van a la escuela. Isabel tiene muchas cosas en su mochila: una calculadora, unas plumas, unos lápices, un libro de matemáticas, un diccionario, papel y un cuaderno. ¿Por qué Isabel lleva tantas cosas a clase? Isabel tiene un examen de matemáticas y necesita sacar una buena nota. Susana sólo lleva un cuaderno y una pluma en su mochila. Más tarde, en la escuela, Susana escucha a la maestra en su clase de computación. Isabel tiene problemas. La maestra y toda la clase esperan a Isabel. ¡Pobre Isabel! ¡Como hay tantas cosas en la mochila, tiene que buscar todo!

VOCABULARIO

ACTIVIDAD 1 ¿Dónde?

Where would each activity most likely take place? Match the activity with the location.

correr   biblioteca

leer   cafetería

trabajar   gimnasio

comer   oficina

ACTIVIDAD 2 En la tienda

The following dialog takes place in a department store. Choose the word that best completes each sentence.

—¡Hola, María! ¿Dónde (termina / está) Julia?

—Ella (visita / descansa) a su abuela.

—Y tú, ¿qué (compras / estás)?

—Un vestido para mi fiesta de cumpleaños.

—¡Tengo hambre! ¿Quieres (comer / beber) un sándwich?

—Sí, claro. También (como / quiero) beber un refresco.

ACTIVIDAD 3 ¿Tienes hambre o sed?

Say that you want the following foods or drinks.

modelo: Quiero beber un vaso de agua.

_____

_____

_____

_____

_____

VOCABULARIO

ACTIVIDAD 1 ¿Adónde van?

Based on the drawings, tell where the people are going. Follow the model.

modelo: (tú) <u>Tú vas a la biblioteca.</u>

1. (yo)_____ **2.** (nosotros)_____ **3.** (tío Luis) _____ **4.** (ellas) _____

_____ _____ _____ _____

ACTIVIDAD 2 ¿Qué hacen?

To find out what the following people are doing, choose one of the following words: **comprar, mirar, terminar, visitar.** Use it in the sentence in its correct form.

1. Miguel _____ a su abuela en Miami.

2. Tú _____ el pizarrón.

3. Mis amigos _____ plumas para escribir en sus cuadernos.

4. Nosotros _____ la tarea para la clase de inglés.

ACTIVIDAD 3 ¡Uf, qué calor!

It is 95 degrees out and you and a friend are in a restaurant trying to order something refreshing. Find out what he or she wants to eat and drink. Write three questions.

modelo: <u>¿Quieres comer fruta?</u>

_____

_____

_____

VOCABULARIO

 1 **¿Por qué?**

Tell where each person is going and what each person wants or needs to do there.
Follow the model.

> **modelo:** Inés / auditorio   Inés va al auditorio. Tiene que practicar la música.

1. yo / auditorio _____

2. tú / biblioteca _____

3. Ana y Marta / cafetería _____

4. nosotros / gimnasio _____

 2 **Un día típico**

Your pen pal wants to know what you do on a typical day. Write about what you like
to do at various times during the day. Use **por la tarde, al mediodía, por la noche.**

1. _____   **2.** _____   **3.** _____

_____   _____   _____

 3 **La cena**

A friend is coming to dinner. Write a dialog in which you find out how he or she is and
then offer him or her something to eat and/or drink.

_____

_____

_____

_____

_____

GRAMÁTICA A

ACTIVIDAD 1 Muchas preguntas

The following questions are incomplete. Read each one and the answer that follows it, then decide which word best completes each question.

1. —¿(Cómo / Quién) estás hoy?
   —Bien, gracias.

2. —¿(Adónde / Dónde) trabaja Raúl?
   —En la oficina de su padre.

3. —¿(Quiénes / Quién) van al café?
   —Francisco y yo.

4. —¿(Cuál / Cuáles) de los vestidos te gusta?
   —El verde.

ACTIVIDAD 2 ¿Dónde?

Are the following people on their way or are they already where they want to be? Choose **ir** or **estar**, then write the correct form in the blank.

1. Ricardo _____ a la cafetería.

2. Yo _____ en la biblioteca porque necesito estudiar.

3. ¿Adónde _____ tú?

4. Nosotros _____ en la clase de inglés.

ACTIVIDAD 3 Con retraso

Gloria is fifteen minutes late for all her appointments. Write sentences telling when she arrives at the places shown. The time given is when she is supposed to arrive.

modelo: Gloria llega a la escuela a la una y cuarto.

1. _____

2. _____

3. _____

_____

_____

_____

GRAMÁTICA B

ACTIVIDAD 1 ¿Cuál es la pregunta?

Finish the following questions by supplying the appropriate word from the word bank.

cuándo	adónde	por qué	qué	quién

1. —¿ _____ no vas a
   la fiesta?
   —Tengo que estudiar.

2. —¿ _____ vas
   mañana?
   —A la casa de mi amigo.

3. —¿ _____ enseña
   español?
   —El señor López.

4. —¿ _____ hay en tu
   mochila?
   —Unos libros, mi calculadora y unos
   cuadernos.

5. —¿ _____ estudias
   más?
   —Por la noche.

ACTIVIDAD 2 Muy ocupada

Your friend Teresa is very busy today. Just look at her schedule! For each activity, tell what she is doing, where she is, and the time. Follow the model.

   modelo: tomar el almuerzo / cafetería / 11:30
   A las once y media, Teresa toma el almuerzo en la cafetería.

1. estudiar para la prueba / biblioteca / 9:15 _____

2. trabajar para su papá / oficina / 1:00 _____

3. preparar la tarea / casa / 7:40 _____

ACTIVIDAD 3 ¿Dónde están?

Tell where the following people are and where they are going, using **ir** or **estar**.

   modelo: mi mamá Mi mamá está en la cafetería y luego va a la biblioteca.

1. mis padres _____

2. yo _____

3. mis amigos y yo _____

GRAMÁTICA C

ACTIVIDAD 1 ¿Qué dicen?

Complete the following dialog using a question word in each blank.

—¡Hola, Bárbara! ¿_____ estás?

—Bien, gracias, ¿y tú?

—Bien. ¿_____ vas?

—Voy al gimnasio.

—¿_____ está tu hermano?

—En casa. Tiene que estudiar.

—¿_____ estudia?

—Ciencias. Tiene un examen mañana.

ACTIVIDAD 2 Mis amigos y yo: siempre ocupados

You and your friends are always busy. Using the names and drawings, tell where each person is and write your own explanation of what each one is doing there.

modelo: Margarita
Margarita está en la cafetería.
Ella toma el almuerzo.

Nacho y Lola _____

Elena _____

Guillermo y yo _____

ACTIVIDAD 3 Tu horario

Saturday is a busy day for you. Make a schedule showing what you are going to do and at what time. Include at least three activities.

_____

_____

LECTURA A

SUPERMERCADO

Ofertas

Pan, paquete de 25 rebanadas
365 **289**

Piña en su jugo, lata de 822 g
187 **168**

Arroz grano largo, paquete de kg
315 **289**

Pastel, paquete de 300 g
255 **159**

Maíz dulce, lata de 410 g + 20% gratis
175 **139**

Papitas fritas, bolsa de 200 g
149 **105**

Cereal, paquete de 375 g
299 **255**

¿Comprendiste?

1. ¿Qué comida (*food*) es una merienda? _____

2. ¿Cuál de las comidas es una fruta? _____

3. ¿Qué comida comes por la mañana? _____

¿Qué piensas?

1. ¿Te gusta comer comida nueva? Explica. _____

_____

2. ¿Compras comida para tu familia? ¿Cómo? _____

_____

LECTURA B

tortas..$10
tamales 14
hamburguesas 12
papas fritas..6
platos de frutas
—sandía, melón, piña...........................8
jugos
—naranja, piña, toronja.......................2
café o té 3
refrescos 2
aguas...2

Cafetería Ixtapalapa

¿Comprendiste?

Answer true (**cierto**) or false (**falso**) to the following statements. Circle the appropriate letter.

C F **1.** Es un menú para la mañana.

C F **2.** El menú tiene jugo de tomate.

C F **3.** Si te gusta comer fruta, hay mucho para comer.

C F **4.** El menú tiene pizza.

C F **5.** No hay refrescos en el menú.

¿Qué piensas?

1. ¿Qué comida (*food*) en este menú no es usual para los restaurantes de Estados Unidos? _____

2. ¿Qué te gusta comer en el menú? _____

LECTURA C

[71] N.º P 617314   BILLETE + RESERVA

FNM

PROHIBIDO FUMAR FUERA DE LA ZONA RESERVADA
CONSÉRVESE HASTA EL FINAL DEL VIAJE

Indicaciones especiales

DE ⟶ A	CLASE	📅 FECHA	🕐 HORA SALIDA	🚂 TIPO DE TREN	🚃 COCHE
CIUDAD DE MÉXICO VERACRUZ	C	22.06	19.25	DIESEL	VAGÓN
HORA LLEGADA-->			08.30		

Tarifa
Forma de pago

Pesos   ***318

¿Comprendiste?

1. ¿Adónde va el tren? _____

2. ¿A qué hora llega? _____

3. ¿Para qué fecha es el billete? _____

4. ¿Cuántas horas es el viaje? _____

¿Qué piensas?

1. ¿Te gusta ir en tren? ¿Por qué? _____

_____

2. ¿Cuál te gusta más, ir en carro o ir en tren? ¿Por qué? _____

_____

TPR STORYTELLING

Vocabulario

Son las...	ocho	el reloj	descansar
siete y media	de la mañana	la cafetería	la fruta

Mini-cuento: ¡Ando tarde!

Cuando María mira su reloj, son las ocho de la mañana. ¡Qué desastre! ¡La escuela es a las ocho y ella tiene un examen! Ella no come porque no tiene tiempo. Camina rápidamente y llega a la escuela. ¡Otra sorpresa! ¡No hay nadie en la clase! El reloj en la clase dice que son las siete y media. Por eso, María va a la cafetería con sus amigos. Ahora ella tiene tiempo para descansar y comer fruta. ¡Qué mal día!

VOCABULARIO

ACTIVIDAD 1 La respuesta correcta

Underline the word that best completes each sentence.

1. (Cuida / Toca) la guitarra.

2. Tienes (hambre / sed). Compras unos chicharrones.

3. (Pasea / Cuida) por el parque con su hermana.

4. (Hace / Prepara) ejercicio en el gimnasio.

5. Tienes (hambre / sed). Tomas un refresco.

ACTIVIDAD 2 Asociaciones

Match each word in the first column with a word in the second column that you associate with it.

beber	una revista
leer	el piano
mandar	la cena
preparar	una carta
tocar	agua

ACTIVIDAD 3 ¿Qué hacen?

Using the pictures as clues, tell what these people are doing.

1. mi hermano  _____

2. yo _____

3. mi madre  _____

4. mi prima  _____

VOCABULARIO

 Isabel... siempre ocupada

Isabel has a lot to do. Complete the following sentences, using the correct form of the verbs from the word bank.

> beber   andar   cuidar   ver   oír

1. Ella _____ la televisión después de estudiar.

2. Ella _____ agua porque tiene sed.

3. Ella _____ en bicicleta por el parque.

4. Ella _____ a sus hermanas cuando sus padres van al teatro.

5. Ella _____ a sus amigas.

2 ¿Dónde?

You overhear the following bits of conversations. Where do you think you are?

1. Me gusta andar en bicicleta aquí y a veces caminar con el perro. _____

2. Me gusta cómo pinta Picasso. _____

3. Necesito comprar unas frutas y refrescos. _____

4. Los dramas de Shakespeare son fascinantes. _____

3 ¿Qué hace?

Your friends have gone their separate ways today. Based on where they are, tell what you think each one is doing. Follow the model.

   modelo: Graciela está en la cafetería. <u>Graciela come.</u>

1. Raúl está en el parque. _____

2. Jorge está en la tienda. _____

3. Susana está en el gimnasio. _____

4. Timoteo está en el supermercado. _____

Unidad 2
Etapa 3

Actividades para todos
VOCABULARIO

B

VOCABULARIO

1 ¿Hambre o sed?

Complete the second sentence, using the correct form of **tener sed** or **tener hambre**.

1. Teodoro come chicharrones. Teodoro _____.

2. Nosotros tomamos agua. Nosotros _____.

3. Yo preparo la cena. Yo _____.

4. Ustedes toman refrescos. Ustedes _____.

2 Un día libre

You and your friends have a free day today and can do anything you like. Complete each sentence using vocabulary from this **etapa**.

1. Estoy en el parque y voy a _____.

2. Anita está en casa y va a _____.

3. Enrique y Juana están en la cafetería y van a _____.

4. Nosotros estamos en la biblioteca y vamos a _____.

5. Tú estás en el museo y vas a _____.

3 Adivina

Describe three places you like to go. Tell what you do there.

_____

_____

_____

_____

_____

GRAMÁTICA

1 Una tarde aburrida

This has turned out to be the most boring day ever. Complete the sentences with the appropriate form of the verb in parentheses.

Mi familia (estar) _____ en casa. Nosotros no (hacer)

_____ nada. Mi padre (leer) _____ el periódico.

Mi madre (ver) _____ la televisión. Mi hermano (escribir)

_____ unas cartas y mi hermana (oír) _____ música

clásica. Yo (hacer) _____ la ensalada para la cena. ¡Qué aburrido!

2 ¡Qué ruido!

What do the following people hear? Make sentences using the appropriate form of the verb **oír** in each one.

1. mi tío / un perro _____.

2. mis abuelos / los pájaros_____.

3. mi hermana y yo / una guitarra _____.

4. tú / el animal _____.

5. yo / la música _____.

3 ¿En qué orden?

Say what you're going to do tomorrow. Indicate in what order you're going to do these activities.

modelo: <u>Mañana voy a caminar con el perro en la plaza.</u>

_____

_____

_____

_____

Unidad 2
Etapa 3

Actividades para todos
GRAMÁTICA

A

GRAMÁTICA B

ACTIVIDAD 1 ¡Qué desorden!

To find out what Manuel is doing, unscramble the following words and write sentences with the correct forms of the verbs.

1. hermano / su / conocer / yo / a _____

2. la / ejercicio / hacer / mañana / por / yo _____

3. con / él / amigos / comer / sus _____

4. al / ir / entonces / él / supermercado _____

5. días / música / todos / oír / los / yo _____

ACTIVIDAD 2 ¿Lo conocen?

Use the correct form of the verb **conocer** to write each sentence.

1. yo / a la profesora de música_____

2. tú / el museo de arte _____

3. mi profesor de español / a mis padres_____

4. nosotros / el parque_____

ACTIVIDAD 3 Tu horario

What are your weekends like? Write four sentences describing what you read, what type of music you listen to (use **oír**), the places you visit with your friends, and so on.

_____

_____

_____

_____

_____

Unidad 2
Etapa 3

Actividades para todos
GRAMÁTICA

B

GRAMÁTICA C

ACTIVIDAD 1 ¿Antes o después?

Tell if you do the first activity before or after you do the second one. Use connecting words or phrases to indicate sequence. Follow the model.

modelo: preparar la cena / comer con la familia
<u>Antes de comer con la familia, preparo la cena.</u>

1. estudiar / tomar el examen _____

2. hacer la tarea / ver la televisión _____

3. abrir el libro / leer _____

4. cenar / ir al supermercado _____

ACTIVIDAD 2 ¿Qué van a hacer?

You can predict what the following people will do, based on the information given. Write a sentence telling what each person is going to do.

modelo: Rosa compra un pastel.
<u>Rosa va a celebrar su cumpleaños.</u>

1. Elena compra un periódico. _____

2. Compro un lápiz. _____

3. Mariana busca el perro. _____

4. Tenemos una prueba en la clase de español mañana. _____

5. Vicente tiene mucha hambre. _____

ACTIVIDAD 3 ¿Qué haces primero? ¿Y luego?

Describe several activities you might do on a typical day. Include words to show the order in which you do them.

_____

_____

_____

_____

_____

LECTURA A

¡Viva el fin de semana!

The following is a list of places to go on the weekend and a telephone number to call for information for each place.

Números telefónicos	
Biblioteca Nacional 580 78 23	
Museo de Arte 549 71 50	
Museo Nacional..420 28 36	
Museo Naval 521 04 19	
Parque Nacional 420 35 68	
Zoológico 711 99 50	

¿Comprendiste?

Escribe el número de teléfono para cada actividad.

1. ver muchos animales _____

2. andar en bicicleta _____

3. leer un libro _____

4. ver arte moderno _____

¿Qué piensas?

1. ¿Es importante ir a lugares culturales? ¿Por qué?_____

_____

2. En tu opinión, ¿cuál es el balance perfecto de actividades? _____

_____

LECTURA

Esteban and Elena are twins, but their tastes are quite different. Read what each one says.

Esteban y Elena

¡Hola! Me llamo Elena. Me gusta pintar, tocar la guitarra y caminar con mi perro en el parque. También me gusta escuchar la música clásica. Para mí, mi familia es muy importante, especialmente mi gemelo[1] Esteban. Somos diferentes, pero él es muy buen amigo. Hablamos mucho.

¡Hola! Me llamo Esteban. Mi hermana es buena chica, pero sus actividades favoritas son aburridas, en mi opinión. Me gusta escuchar la música rock, andar en bicicleta y leer revistas en la biblioteca. Mi gato es muy chévere e independiente. Sólo hace lo que le gusta —como yo.

[1] twin

¿Comprendiste?

1. ¿Qué le gusta hacer a Elena? _____

2. ¿Qué le gusta hacer a Esteban? _____

3. ¿Qué piensa (*thinks*) Elena de su hermano? _____

¿Qué piensas?

1. ¿Tienes más en común con Esteban o con Elena? ¿Por qué? _____

_____

2. ¿Te gusta escuchar la música rock o la música clásica? ¿Por qué? _____

_____

ECTURA C

De visita a Madrid

There are many things to see and do around Madrid, Spain. Read about several of them, then answer the questions.

Zoológico de la Casa de Campo

3.000 animales de los cinco continentes. Club de pájaros. Naturaleza misteriosa. Acuario: todas las maravillas del mundo submarino —Barracudas, rayas, delfines.

Excursiones organizadas

Panorámicas de Madrid por la noche con opción de cena y espectáculos de baile. Visitas a los alrededores de Madrid: San Lorenzo de El Escorial y Valle de los Caídos, Toledo, Segovia y Ávila. (Guiadas en distintos idiomas.)

Tren de la fresa[1]

Viaje en una locomotora de vapor. El precio incluye: viaje de ida y vuelta[2], fresas a bordo del tren, entrada a monumentos y visita guiada.

---

[1] strawberry   [2] roundtrip

Comprendiste?

1. ¿Qué incluye el precio del tren? _____

2. ¿Adónde vas si quieres ver lugares cerca de Madrid? _____

3. ¿Adónde vas si quieres ver un pez? _____

Qué piensas?

1. ¿Quieres ir a Madrid? ¿Qué actividades te gusta hacer? _____

_____

2. ¿Qué actividades hay donde vives? _____

_____

En español! Level 1   Unidad 2, Etapa 3
Actividades para todos   73
LECTURA C

TPR STORYTELLING

Vocabulario

el parque
caminan con el perro
tiene sed
beber un refresco

tiene hambre
la tienda
comer chicharrones

Mini-cuento: Una tarde en el parque

Rosalinda y Cindy caminan con el perro de Cindy en el parque. Rosalinda tiene
hambre; quiere comer. Cindy tiene sed. Quiere beber un refresco. Las chicas van a la
tienda para comprar chicharrones y refrescos. Las dos muchachas hablan y comen.
Pero al perro Muff le gusta comer chicharrones también. Toma la comida y corre.
—¡Qué bandido! —exclaman las chicas y corren tras el perro. Finalmente Cindy y
Rosalinda capturan el perro, pero necesitan ir a la tienda para comprar más
chicharrones y refrescos. ¡Perro malo!

VOCABULARIO A

 1 **¿Al cine?**

Complete the telephone conversation, which takes place in Puerto Rico.

—(Hola/Me gustaría), Ramón. Soy Luis.

—¡Luis! ¿Cómo estás?

—Bien, gracias. Mira, (quieres/te invito) al cine conmigo. ¿Te gustaría ir?

—Gracias, pero (me encantaría/no puedo).

—¿Por qué no?

—Tengo que ayudar a mi papá. (Tal vez otro día./Claro que sí.)

—Está bien. Hasta luego.

—Adiós.

 2 **¿Por qué se sienten así?**

Read about each person, then choose the adjective that best completes the sentence.

1. Marco trabaja mucho. Ahora está (deprimido / cansado).

2. Mónica saca una mala nota en el examen. Ella está (triste / contenta).

3. Mi abuela está enferma. Yo estoy (preocupado / emocionado) por ella.

4. Tenemos prueba hoy en la clase de física. Estamos (enfermos / nerviosos).

5. El perro come tu tarea. Tú estás (alegre / enojada).

 3 **Quiero hablar con...**

The messages below were left on your phone machine. Return the messages, accepting one invitation and turning down the other.

1. Hola. Soy Miguel. Te invito a ir de compras conmigo esta tarde. ¿Quieres ir? Hasta luego. _____

2. Hola. Soy Patricio. ¿Quieres acompañarme al cine esta tarde? _____

_____

Nombre _____ Clase _____ Fecha _____

VOCABULARIO B

1 La llamada

Complete the following telephone conversation, which takes place in Puerto Rico.

—Hola.

—Buenas tardes, señora León. Soy Raquel.

—Hola, Raquel. ¿Cómo estás?

—Bien, señora León. ¿_____ hablar con Carmen

—No, ella no está en este momento.

—¡Qué _____! ¿Dónde está

—En la biblioteca. Necesita leer una novela para la clase de inglés.

— _____ que me llame, por _____

2 ¿Cómo se sienten?

How do you think the following people feel? Look at the drawings, then choose a word to describe each one.

1. Elena celebra su cumpleaños hoy. Ella está _____.

2. Son las diez y Ángela todavía no está en casa. Sus padres están

_____.

3. Mi padre prepara la cena y cuida a mi hermanito. Él está

_____

3 Quiero ir, pero...

You agreed to go to the movies with your friend Maricarmen, but now you have to stay home to take care of your little brother. Leave a message on Maricarmen's answering machine. Follow the model.

modelo: Quiero dejar un mensaje para Maricarmen. Soy...

_____

_____

_____

VOCABULARIO

 1 En la casa de Jaime

Ramón wants to speak with Jaime Casas. Jaime's father answers. Complete the conversation.

—Diga.

—_____

—Hola, Ramón. ¿Qué tal?

—_____

—Jaime no está. Visita a sus abuelos hoy.

—_____

—Está bien. Adiós, Ramón.

—_____

2 ¿Cómo se sienten?

Complete each sentence with a word describing how the person feels. Pay attention to word endings.

1. Mi padre trabaja todo el día y ahora prepara la cena. Él está _____.

2. Mañana tengo un examen muy difícil en la clase de física. Estoy _____.

3. Luisa celebra su quinceañera hoy con toda la familia. Ella está _____.

4. Mi abuela está en el hospital. Ella está _____.

3 ¡Al cine!

Write a short dialog, inviting a friend to the movies.

    modelo: Hola, Enrique. ¿Quieres ir...?

_____

_____

_____

GRAMÁTICA A

 1 Sentimientos

Combine words to say where the person is coming from and how you think he or she feels.

modelo: Ana / trabajo   <u>Ana viene del trabajo y está cansada.</u>

1. ellos / del gimnasio _____

2. María / del museo _____

3. mis abuelos / del hospital _____

4. yo / de la fiesta _____

2 Y ahora están cansados

Tell what the following people have just done, based on the picture above each name. Use a form of **acabar de** in each sentence.

Pilar   **yo**   **mis hermanos**   **Tomás y yo**

1. Pilar _____

2. yo _____

3. mis hermanos _____

4. Tomás y yo _____

3 ¿Qué les gusta?

Write a short paragraph describing what your parents or other family members like to do on weekends and what you as a family like to do together.

modelo: <u>A mis padres les gusta ir al cine. Nos gusta caminar en el parque...</u>

_____

_____

GRAMÁTICA B

ACTIVIDAD 1 Sí, porque acabo de...

Read the description and tell what the person just did.

1. Miguel no tiene mucha hambre ahora. Él _____.

2. Ves una película en casa. Tú _____.

3. Tengo una camisa nueva. Yo _____.

4. La señora Vega está cansada. Ella _____.

5. No tenemos sed en este momento. Nosotros _____.

ACTIVIDAD 2 Sopa de sentimientos

Combine elements to say where the person is and how he or she feels. Change word endings as necessary.

modelo: Felipe / cine / cansado(a)
<u>Felipe está en el cine y está cansado.</u>

1. nosotros / fiesta / contento(a) _____

2. mis primas / gimnasio / emocionado(a) _____

3. yo / hospital / enfermo(a) _____

4. Susana / parque / tranquilo(a) _____

ACTIVIDAD 3 ¿De dónde?

The López family is finally sitting down to dinner. Make up sentences describing what each one just did and where each one is coming from.

modelo: <u>Patricia acaba de ver una película. Ella viene del cine.</u>

_____

_____

_____

_____

GRAMÁTICA C

ACTIVIDAD 1 Por eso está

Describe how these people feel, using a form of **estar** and an adjective. Pay attention to the word endings.

1. Javier saca una buena nota en la prueba. Él _____.

2. Nuestro perro está enfermo. Nosotros _____.

3. Mi madre pasa todo el día preparando la cena. Ella _____.

4. No puedo ir al cine. Tengo que cuidar a mi hermanita. Yo _____.

ACTIVIDAD 2 Una semana ocupada

Use **venir** and **acabar de** to tell where the following people are coming from and what they just did.

> **modelo:** Juan / cine
> Juan viene del cine. Acaba de ver una buena película.

1. María / biblioteca_____

2. Carlos y Matilde / tienda _____

3. yo / parque _____

4. ustedes/escuela _____

ACTIVIDAD 3 ¿Qué les gusta hacer?

You are writing a letter to a young person in another country. Ask him/her what young people like to do for fun in his/her country, and write two things that you and your friends like to do in your spare time. Use the following phrases if you wish.

> alquilar un video   ir a un concierto   hablar por teléfono

_____

_____

_____

_____

LECTURA

¡Por primera vez en Puerto Rico!

MERCEDES SOSA
CHARLY GARCÍA

➡ Dos inolvidables conciertos en una noche. La singular[1] Mercedes Sosa se reúne con Charly García para una noche de canción y conciencia latinoamericana.

SAN JUAN
16 DE MAYO
Centro de Bellas Artes

SAN JUAN
17 DE MAYO
TEATRO Tapia

P O N C E
19 DE MAYO
TEATRO La Perla

[1] sensational, fabulous

¿Comprendiste?

Tell if the following statements are correct, based on the concert advertisement.

C   F   **1.** Sosa y García presentan cuatro conciertos en mayo.

C   F   **2.** El programa consiste en canciones cómicas.

C   F   **3.** Sosa y García cantan en San Juan.

C   F   **4.** Sosa y García cantan en teatros.

¿Qué piensas?

1. ¿Te gustaría ir al concierto? ¿Por qué? _____

_____

2. ¿Qué tipo de música te gusta escuchar? ¿Por qué? _____

_____

Nombre _____ Clase _____ Fecha _____

LECTURA

Read the note that Rosa left for Mariana.

> Hola, Mariana.
>
> Quiero invitarte a un concierto.
> Nuestro cantante favorito va a dar un
> concierto. ¡Es Jon Secada! Es el 20 de
> junio en el Coliseo Municipal. ¿Quieres ir
> conmigo? No voy a estar en casa esta
> noche, pero deja un mensaje en la
> máquina contestadora. ¡Va a ser muy
> chévere! Hasta pronto.
>
> Rosa

¿Comprendiste?

1. ¿Quién canta en el concierto? _____

_____

2. ¿Cuándo es el concierto? _____

_____

3. ¿Por qué quieren Rosa y Mariana ir al concierto? _____

_____

¿Qué piensas?

1. ¿Te gustaría ir a un concierto de Jon Secada? ¿Por qué? _____

_____

2. ¿Te gusta escuchar la música latina? ¿Cuáles de las canciones escuchas? _____

_____

3. ¿Qué otra música te gusta escuchar?_____

_____

Nombre _____ Clase _____ Fecha _____

LECTURA

«*Cuando un hombre está ocupado, piensa en[1] el reposo. Pero cuando descansa, enseguida[2] necesita estar ocupado.*»
ROBERT BROWNING,
ESCRITOR BRITÁNICO (1812–1889)

«**Hay una ociosidad[3] activa que, mientras[4] descansa, piensa.**»
**Augusto Ferrán,
escritor español (1836–1880)**

«Debes[5] aprender a estar quieto en medio de la actividad y a estar vibrantemente vivo en reposo.»
**Indira Gandhi,
estadista india (1917–1984)**

«Es imposible gozar[6] totalmente de no hacer nada si no se tiene muchas cosas que hacer.»
JEROME K. JEROME, ESCRITOR BRITÁNICO (1859–1927)

«*El primer deber[7] de un hombre es ser feliz. El segundo, hacer felices a los demás[8].*»
**Mario Moreno Reyes, «Cantinflas»,
actor mexicano de cine, cómico (1911–1993)**

[1] thinks about [2] immediately [3] inactivity [4] while [5] you should [6] enjoy [7] duty [8] others

¿Comprendiste?

1. Según Browning, ¿cuándo piensa un hombre en el reposo? _____

2. Para Cantinflas, ¿qué tiene que hacer una persona? _____

3. ¿A cuál de estas personas le gusta la idea de ser perezoso? _____

¿Qué piensas?

1. ¿Cuáles de las citas son un poquito cómicas? _____

2. ¿Cuál de estas citas te gusta más? ¿Por qué? _____

3. ¿Qué otras citas o refranes te gustan? _____

Nombre _____ Clase _____ Fecha _____

TPR STORYTELLING

Vocabulario

él llama	¿Quieres acompañarme...?	¿Te gustaría...?
deja un mensaje	el cine	ir de compras
el teléfono	está enferma	alquilamos un video
la máquina contestadora		

Mini-cuento: ¿Quieres acompañarme...?

Alejandro llama a Sofía por teléfono el viernes, pero Sofía no está. Alejandro deja un mensaje en la máquina contestadora. Alejandro la llama nuevamente, y esta vez Sofía contesta. Alejandro le pregunta: «¿Quieres acompañarme al cine el sábado?» Ella tiene que cuidar a su abuela porque está enferma. Alejandro le pregunta: «¿Te gustaría ir de compras el domingo?» Pero Sofía tiene que estudiar para un examen.
Sofía le pregunta: «Espera, Alejandro, ¿por qué no vienes a mi casa esta noche y alquilamos un video?»

VOCABULARIO

ACTIVIDAD 1 ¿Para qué necesitas...?

You are shopping for sports equipment with a friend. Read what he or she buys and tell what sport(s) the equipment is for.

1. un bate _____

4. un casco _____

2. unos patines _____

5. un guante _____

3. una raqueta _____

ACTIVIDAD 2 ¡Quiero jugar!

Say that the people prefer to do the activity pictured.

1. tú prefieres / 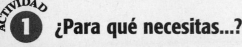 _____

2. mi tía prefiere / _____

3. yo prefiero / _____

4. mis amigos prefieren / _____

ACTIVIDAD 3 ¿Adónde vas?

Tell where you go to do the following activities.

modelo: levantar pesas   <u>Para levantar pesas voy al gimnasio.</u>

1. jugar al baloncesto _____

2. nadar _____

3. jugar al fútbol _____

4. jugar al tenis _____

VOCABULARIO **B**

....

ACTIVIDAD **1** ¿A qué deporte va a jugar?

Look at each picture and tell what sport the person is going to play.

1. Mario / _____

2. yo / _____

3. mi hermano y yo / _____

4. mi papá / _____

ACTIVIDAD **2** Michael Jordan y yo...

You and your friends have won a contest in which you play sports with your favorite celebrity athletes. Using the names as clues, complete the sentences.

1. Michael Jordan y yo vamos a jugar al _____.

2. Wayne Gretzky y mi amiga Betty van a jugar al _____.

3. Tú y Picabo Street van a _____ en Colorado.

4. Sammy Sosa y Jorge van a jugar al _____.

ACTIVIDAD **3** Me gusta jugar...

Write a short note telling what sports and activities you like to do and some that you don't like to do.

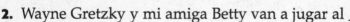

_____

_____

_____

VOCABULARIO 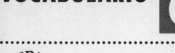 C

ACTIVIDAD 1 ¿A qué juega?

Read what each person is buying and tell which sport he or she plays.

1. Yo compro una pelota. _____

2. Mi mamá compra una raqueta. _____

3. Mi primo compra un casco y una bola. _____

4. Mi hermano compra unos patines. _____

ACTIVIDAD 2 En forma

Sonia wants to get in shape (**ponerse en forma**) and decides to take up a sport.
Complete the paragraph, using words from the word bank.

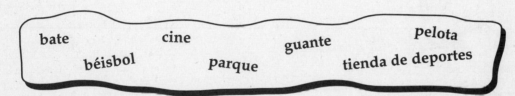

bate   cine   pelota
    béisbol   parque   guante   tienda de deportes

Sonia quiere ponerse en forma. A ella le gusta mucho jugar al _____ .

Primero va a la _____ donde compra un _____ , un _____ y

una _____. También compra unos zapatos. Luego llama a unos amigos. Todos

van al _____ para practicar.

ACTIVIDAD 3 ¡Qué divertido!

Raúl likes to play baseball with his friends. Look
at the picture and describe it in as much detail as
you can.

modelo: Raúl está en el parque con unos
amigos.

Marco

Juanita

Pilar

Raúl

_____

_____

_____

_____

GRAMÁTICA A

ACTIVIDAD 1 ¡Español!

Complete the sentences, using the appropriate form of the verb in parentheses.

1. La clase de español (empezar)_____ a las ocho y cuarto.

2. El profesor (pensar) _____ que la clase es fácil.

3. Yo (cerrar) _____ el libro para hablar con mi amiga.

4. Ella (preferir) _____ comer.

5. Ella y yo (merendar) _____ en la cafetería.

ACTIVIDAD 2 ¡Saben mucho!

Look at the pictures and tell what each person knows how to do.

1. yo / 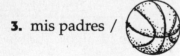 _____

2. mi tío / _____

3. mis padres / _____

4. tú / _____

5. mi hermana y yo / _____

ACTIVIDAD 3 Tu mejor amigo(a) y tú

Compare yourself to your best friend, using the following adjectives: **alto(a), divertido(a), menor, paciente, trabajador(a).**

modelo: <u>Yo soy mayor que mi amigo Ramón pero él es...</u>

_____

_____

GRAMÁTICA

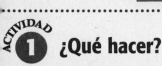

1 ¿Qué hacer?

Andrés is having a difficult time getting his assignment done. Read each sentence and choose the verb that best completes each sentence.

1. Primero él (empezar/perder) _____ a estudiar.

2. No (entender/preferir) _____ bien la tarea.

3. (Merendar/Querer) _____ hablar con la profesora.

4. (Pensar/Cerrar) _____ su libro.

5. (Preferir/Entender) _____ hablar un rato con sus amigos.

6. (Querer/Merendar) _____ con ellos.

2 ¡Todos saben eso!

Say that the following people know how to play the sport indicated.

modelo: mi padre / hockey <u>Mi padre sabe jugar al hockey.</u>

1. yo / béisbol _____

2. tú / voleibol _____

3. mi madre / fútbol _____

4. Felipe y yo / baloncesto _____

5. mis tíos / tenis _____

3 ¿Cómo son tus padres?

Describe your parents or other adults you know by comparing them. Write at least four sentences.

modelo: <u>Mi madre es más paciente que mi padre.</u>

_____

_____

_____

_____

GRAMÁTICA C

ACTIVIDAD 1 ¿Qué van a hacer?

Look at the pictures and tell what each family member wants to do, using **preferir** or **querer**.

1. mi madre / _____

2. mi padre /  _____

3. mi hermana / _____

4. yo / _____

ACTIVIDAD 2 Unas personas únicas

Describe four people that you know, telling what each one knows how to do.

1. _____

2 _____

3. _____

4. _____

ACTIVIDAD 3 ¿Más o menos?

How are you different from your family members or other people you know? Compare yourself to them. Be sure to include each of these words: **más / menos / mayor / mejor / tan**.

modelo: Mi hermana Teresa es tan perezosa como yo.

_____

_____

_____

_____

LECTURA A

Los estudiantes de la clase de español escriben una encuesta sobre los deportes. Aquí están los resultados después de hablar con 100 estudiantes.

Razones para participar en un deporte*	
Me gusta practicar deportes; es divertido.	80 estudiantes
Practico deportes porque mis amigos lo hacen.	10 estudiantes
Cuando practico deportes, tengo más energía; estoy de buen humor.	17 estudiantes
Mi razón principal es para mantenerme en forma.	13 estudiantes
Practico deportes porque me gusta competir; es emocionante.	38 estudiantes
Sólo practico deportes porque es un requisito de la escuela.	7 estudiantes

Las preferencias: como participante, no como espectador(a)†			
andar en patineta	16%	el golf	7%
el baloncesto	33%	patinar	12%
el béisbol	18%	patinar sobre hielo	9%
esquiar	11%	el tenis	8%
el fútbol	28%	el voleibol	8%
el fútbol americano	25%		

* Como los estudiantes pueden escoger más de una razón para practicar deportes, el total es más de 100.
† Como los estudiantes escogen más de un deporte, el total no es 100%.

¿Comprendiste?

1. ¿Por qué juega la mayoría de los estudiantes a los deportes? _____

2. ¿Qué deporte tiene menos participantes?_____

3. ¿Cuál es el deporte más popular? _____

¿Qué piensas?

1. ¿Qué deportes practicas?_____

2. ¿Por qué practicas deportes? _____

3. ¿Por qué piensas que el baloncesto es más popular que el golf? _____

_____

LECTURA B

Sammy Sosa es un gran héroe de dos naciones, Estados Unidos y la República Dominicana

Es seguro que Sammy Sosa es un buen jugador de béisbol. En 1998 recibió[1] el premio[2] MVP (el jugador más valioso) de la Liga Nacional. Pero en 1999 recibió otro premio del Consejo Autónomo de Trabajadores Hispanoamericanos (CATHA). Esta organización lo nombró[3] «La figura deportiva de Las Américas». Lo nombró así porque Sosa se dedica a colectar fondos[4] para la construcción y sostenimiento de escuelas, orfelinatos[5] y estadios deportivos. La fundación «Sammy Sosa» da comida, ropa y medicina a las personas necesitadas.

Ángel de la Torre, el vocero[6] para la organización CATHA dice lo siguiente: «Sammy Sosa es mucho más que un deportista exitoso, mucho más que un hombre de fama, muchísimo más que un simple filántropo. Es un fenómeno que enorgullece[7] a todos los hispanos de este país y del mundo. Es un atleta extraordinario con el corazón de un gran hombre...»

[1] received   [2] award   [3] named   [4] funds   [5] orphanages
[6] spokesperson   [7] fills with pride

¿Comprendiste?

Say whether the following sentences are true (C) or false (F).

C   F   **1.** Según este artículo Sammy Sosa recibió el premio MVP y el premio Nóbel.

C   F   **2.** Sammy Sosa es cubano.

C   F   **3.** Sammy Sosa recibió el premio de CATHA porque es un deportista extraordinario y porque es un hombre que ayuda a muchas personas.

C   F   **4.** Sammy Sosa tiene fama como futbolista.

¿Qué piensas?

1. En tu opinión, ¿qué responsabilidad tienen los deportistas en cuanto a ayudar a otros? _____

_____

2. En tu opinión, ¿qué deportista es un buen modelo de conducta? ¿Por qué? _____

_____

LECTURA C

¿Arte o deporte?

Son jóvenes, energéticos e hispanos. Son atletas fuertes que saltan[1] y se mueven con rapidez. ¿Son jugadores de baloncesto o fútbol? No, son los bailarines del Ballet Hispánico. Este grupo combina las tradiciones del ballet, baile folklórico, jazz y danza moderna en un estilo emocionante.

En 1970, Tina Ramírez fundó el grupo para expresar la cultura hispana mediante el baile. Mantiene una escuela con más de 600 estudiantes de todas partes. Para Ramírez, es importante educar a los jóvenes sobre historias y culturas distintas. Ella prefiere educar con los ritmos del baile en vez de hablar. Una de sus obras más populares es el «Latin Beat», un grupo de bailes con la música pop de Gloria Estefan, Eddie Palmieri, Rubén Blades y Selena. Si quieres pasión, elegancia y atletismo, ven[2] a ver el Ballet Hispánico.

[1] jump   [2] come

¿Comprendiste?

1. ¿De dónde vienen los estudiantes del Ballet Hispánico? _____

_____

2. ¿Quién fundó el Ballet Hispánico y por qué? _____

_____

3. ¿Qué tipo de música usan para la obra «Latin Beat»? _____

_____

¿Qué piensas?

1. ¿Piensas que los bailarines son tan fuertes como otros atletas? ¿Por qué? _____

_____

2. ¿Te gustaría ir al teatro para ver un programa de baile? ¿Por qué? _____

_____

TPR STORYTELLING

Vocabulario

el tenis	andar en	la tienda de	ganar	él prefiere
levantar	patineta	deportes	el surfing	él quiere
pesas	el béisbol	el guante		

Mini-cuento: Dos muchachos diferentes

Miguel y Fernando hablan sobre sus planes de la semana. El lunes Fernando juega al tenis. El martes va al gimnasio para levantar pesas. Fernando invita a Miguel al gimnasio, pero Miguel prefiere andar en patineta. Fernando quiere ir a la tienda de deportes para comprar un guante, porque tiene un partido de béisbol el jueves y quiere ganar. Fernando invita a Miguel a jugar también, pero Miguel prefiere mirar. Durante el fin de semana Fernando piensa practicar el surfing. Quiere saber cuáles son los planes de Miguel para el fin de semana. Pero Miguel dice que después de escuchar todas las actividades de Fernando, ¡necesita descansar!

VOCABULARIO

1 ¿Qué crees?

Pilar teases people by making up stories. Respond to her statements, using **Creo que sí.** or **Creo que no**.

1. Mi prima siempre lleva un traje de baño en el invierno. _____

2. Tengo calor cuando hay mucho sol. _____

3. Hay viento durante una tormenta. _____

4. Llevo las gafas de sol cuando hace mal tiempo. _____

5. Cuando está nublado, llevas un paraguas. _____

2 ¿Qué llevas?

Tell what you use in the following situations.

a.   **b.** **c.**  **d.**

1. Es el otoño y llueve mucho. _____   **3.** Vas a tomar el sol. _____

2. Nieva y hace frío en las montañas. _____   **4.** Hace calor y vas a la playa. _____

3 ¿Cuándo?

Tell when you feel this way.

> **modelo:** frío <u>Tengo frío cuando no llevo un abrigo en el invierno.</u>

> cuando hago mi tarea   cuando trabajo mucho
> por la mañana / tarde / noche   cuando hace calor
> cuando veo una película cuando hay una tormenta

1. ganas de nadar _____

2. prisa _____

3. sueño _____

4. miedo _____

En español! Level 1   **Unidad 3, Etapa 3**
Actividades para todos   95
VOCABULARIO A

Unidad 3
Etapa 3

Actividades para todos
VOCABULARIO

A

VOCABULARIO

ACTIVIDAD 1 ¡Qué mañana!

Use the correct word or expression to describe Domingo's morning.

Por la mañana hace **1.** _____. Domingo piensa llevar

2. _____ y **3.** _____. Domingo cree que va a

4. _____. Ahora lleva **5.** _____ y tiene

6. _____. Él va a la escuela. Pero, hay **7.** ¡ 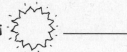 _____!

Domingo tiene mucho **8.** _____. ¡Ay, caramba!

ACTIVIDAD 2 ¡Al contrario!

Complete the conversation between Josefina and her grandmother.

Abuela: ¿Tienes **1.** _____, Josefina? ¿Quieres un suéter?

Josefina: No, abuelita, no tengo **2.** _____. Pero sí, tengo

3. _____. ¿Hay refrescos?

Abuela: ¿Estás cansada, Josefina?

Josefina: No, abuelita, no tengo **4.** _____.

Abuela: ¿Tienes **5.** _____ de ver la televisión?

Josefina: No, pero **6.** _____ mucha **7.** _____ porque tengo una abuela muy simpática.

ACTIVIDAD 3 ¿Qué llevas?

List three different kinds of weather and tell what you wear in each.

modelo: <u>Cuando hace mucho calor, llevo shorts.</u>

_____

_____

_____

VOCABULARIO

 1 **¿La primavera en octubre?**

Identify the season for the place listed and describe the weather, using each expression only once. Write **Creo que sí.** or **Creo que no.** to indicate if it is logical.

modelo: España: agosto En el verano hay mucho sol en España. Creo que sí.

1. Canadá: abril  _____

2. Antártida: julio _____

3. Irlanda: diciembre 80° F _____

4. Jamaica: octubre 23° F _____

2 **Al aire libre**

Everyone is enjoying the outdoors. Tell where these people are, based on what they are doing.

1. Pilar y Emilio están jugando al voleibol, nadando y tomando el sol. _____

2. Es el invierno y estás patinando sobre hielo. Llevas un abrigo. _____

3. Estamos sacando fotos de los cactos y tenemos mucho calor. _____

4. Marta está mirando las plantas y flores tropicales. Lleva shorts. _____

3 **Las cuatro estaciones**

For each season, describe the weather, what you wear, and how you feel.

modelo: En el verano, tengo ganas de nadar. Hace calor y llevo...

1. el verano _____

2. el otoño _____

3. la primavera _____

4. el invierno _____

En español! Level 1

Unidad 3, Etapa 3
Actividades para todos
VOCABULARIO C

97

Unidad 3
Etapa 3

Actividades para todos
VOCABULARIO

C

GRAMÁTICA

 1 El montón de ropa

The clothes got mixed up at the beach. Use the clues to figure out who wears what.

> **modelo:** Andrés los lleva. (traje de baño, gorro, <u>shorts</u>, chaquetas)

1. Margarita la lleva. (calcetines, blusa, bufandas, abrigo)

2. Nosotros los llevamos. (bufandas, trajes de baño, calcetín, zapato)

3. Tú lo llevas. (pantalones, gorro, camisetas, shorts)

4. Yo las llevo. (bronceador, falda, camisa, gafas de sol)

2 La tarjeta postal

Complete the postcard to a Puerto Rican pen pal, using the following verbs: **hace, está, hay, tengo, tienes.**

> ¡Hola, Lucía!
>
> Dices que en Puerto Rico **1.** _____ mucho sol y está a 88 grados.
>
> ¿Tú **2.** _____ mucho calor? Yo vivo en Seattle donde **3.** _____
>
> fresco y **4.** _____ muy nublado. Llueve más o menos durante cada
>
> estación. Hoy, no **5.** _____ mucho frío aquí, pero nieva mucho en las
>
> montañas. ¡**6.** _____ ganas de esquiar! ¿Y tú? ¿Qué te gusta hacer?
>
> Un gran abrazo,
>
> Lorena

3 ¿Qué están haciendo ustedes?

Imagine that you and people you know are spending time at the following places. Describe at least two things that the people are doing at each.

> **modelo:** mi tío/el río
> <u>Mi tío está escuchando el agua y está comiendo su merienda.</u>

1. yo / la playa _____

2. mis amigos / el bosque _____

3. mi familia y yo / el desierto _____

GRAMÁTICA B

··

ACTIVIDAD 1 ¿Los llevas a la escuela?

Tell if you wear these at school, referring to each with a direct object pronoun.

modelo: la falda de cuadros
No la llevo. o Sí, la llevo.

1. las gafas de sol _____

2. el traje de baño _____

3. la bufanda _____

4. los pantalones con rayas _____

ACTIVIDAD 2 ¿Qué estás haciendo?

Complete the descriptions of the weather. Describe the effect of each kind of weather on each person, using **tener** expressions.

modelo: mucho calor: yo / sueño
Hace mucho calor. Tengo sueño.

1. nublado: tú / ganas de leer _____

2. sol: nosotros / calor _____

3. buen tiempo: ustedes / suerte _____

4. nevar: los jóvenes / ganas de esquiar _____

ACTIVIDAD 3 En sus sueños

Enrique is daydreaming. Describe what he is doing in his **sueños.** Then, describe what you're doing in yours.

modelo: En sus sueños Enrique está…
En mis sueños yo…

_____

_____

_____

_____

_____

GRAMÁTICA

 1 ¿Quién lleva la ropa?

Tell who wears the following clothing items in the following situations, using direct object pronouns.

> **modelo:** ¿Quién siempre lleva zapatos grandes?
> <u>Mi abuelo los lleva.</u>

1. ¿Quién siempre lleva su gorro? _____

2. ¿Quién lleva su impermeable a veces? _____

3. ¿Quién lleva shorts en el verano? _____

4. ¿Quién lleva su bufanda de cuadros en el invierno? _____

2 Ahora

Tell three things that you and the following people are doing right now and why.

1. yo _____

2. mi amigo(a) _____

3. los estudiantes de la clase _____

3 El día ideal

Draw a picture of an ideal day. Then, describe it, explaining where you are, what you are doing, what the weather is like, what you are wearing. Describe how you feel, using **tener** expressions.

> **modelo:** <u>Estoy en las montañas con mis amigos. Nieva y hace frío. Yo no tengo</u>
> <u>frío porque llevo mi abrigo. Estoy esquiando con mis amigos…</u>

_____
_____
_____
_____

LECTURA

El pronóstico del tiempo

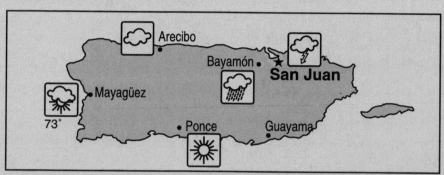

Algunas tormentas en el norte

Arecibo

Bayamón

San Juan

Mayagüez

73°

Ponce   Guayama

Hoy está nublado con algunas precipitaciones en el norte de la isla. Hay viento en Ponce y llueve en Bayamón. Está parcialmente nublado en Arecibo y también en Mayagüez. Sol por la tarde. La temperatura está a 60 grados. Va a hacer sol en San Juan con algunas nubes por la mañana.

¿Comprendiste?

Write the sentences from the weather report that don't correspond with the map.

_____

_____

_____

¿Qué piensas?

1. En tu opinión, ¿dónde en el mapa hace buen tiempo? _____

2. ¿Adónde te gustaría ir? ¿Por qué? _____

_____

LECTURA B

The following people are at their favorite getaway. Solve the puzzle by determining where each person is.

el desierto

la playa

el bosque tropical

las montañas

A Oriana no le gusta el frío —prefiere tomar el sol en su traje de baño. Joaquín prefiere llevar shorts y una camiseta —no le gusta nadar. Esteban está llevando una bufanda y un abrigo. Paloma lleva un impermeable.

¿Comprendiste?

1. ¿Quién está en el bosque tropical?_____

2. ¿Dónde está Oriana? _____

3. ¿Está Joaquín en la playa? Explica. _____

4. ¿Quién está esquiando? ¿Dónde? _____

¿Qué piensas?

1. ¿A cuál de los lugares te gustaría ir? ¿Por qué? _____

_____

2. ¿Qué te gustaría hacer en la playa? ¿En las montañas? _____

_____

¡En español! Level

LECTURA C

Imagínate... Hay sol y estás al lado de un río, estás leyendo tu novela favorita. Oyes la música del bosque... los pájaros y otros animales. Los niños están andando en bicicleta al aire libre. Todos están contentos, tranquilos —lejos del teléfono y del tráfico. Pronto, vas a jugar al golf y pasar un rato con los amigos. Y luego... una cena fenomenal.

Ahora, considera otra imagen... Estás esquiando. La nieve está perfecta. Los niños tienen una lección privada. Luego, van a tomar una merienda en una casita que tiene una vista gloriosa de las montañas.

¿Son dos clubes diferentes? ¡Claro que no! El Club Girasol te ofrece todo. Es tan divertido en el invierno como en el verano.

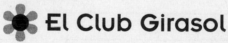

❋ El Club Girasol

Comprendiste?

1. ¿Cuántos clubes hay?_____

_____

2. Describe dos actividades de las vacaciones. _____

_____

3. ¿Dónde está el Club Girasol? _____

_____

Qué piensas?

1. ¿En qué estación quieres ir al Club Girasol? _____

2. En tu opinión, ¿es un lugar más divertido para adultos o jóvenes? ¿Por qué? _____

_____

3. ¿Qué otras atracciones crees que hay en el Club Girasol? Menciona por lo menos

tres. _____

TPR STORYTELLING

Vocabulario

las vacaciones	tiene ganas de...	las gafas de sol	la bufanda
esquiar	las montañas	el gorro	el lago
la playa	el bronceador		

Mini-cuento: Las vacaciones

Paco y Marisol hacen planes para las vacaciones. A los dos les gusta esquiar, pero no piensan en el mismo tipo de esquís. Paco tiene ganas de ir a la playa y Marisol a las montañas. Para preparar sus vacaciones, Paco y Marisol van de compras. Paco compra bronceador y gafas de sol. Marisol compra un gorro y una bufanda. Paco mira a Marisol.

—¿Por qué tienes una bufanda y un gorro, si vamos a la playa?

—¿Por qué tienes gafas de sol y bronceador, si vamos a las montañas?

Paco y Mirasol no van a la playa. No van a las montañas. Van al lago y juegan un videojuego de esquí.

VOCABULARIO

 1 ¿Dónde lo compras?

Empareja las cosas que quieres comprar con los lugares donde las compras. *(Hint: Match the things you buy with where you buy them.)*

1. aspirina

2. casete

3. cuaderno

4. diccionario

5. refresco

6. reloj

a. café

b. farmacia

c. joyería

d. librería

e. papelería

f. tienda de música

2 ¿Cómo llego a...?

Necesitas direcciones para ir a la farmacia a comprar aspirina. Completa el diálogo con las palabras o expresiones. *(Hint: Choose the correct words to complete the dialog.)*

—(Perdone / Cómo no), señora.

—¿Sí?

—¿Puede usted (salir / decirme) dónde queda la farmacia?

—Claro. Camina dos (esquinas / cuadras). Vas a ver una tienda de música. Dobla a la (derecha / derecho). Camina una cuadra más. Hay una farmacia (entre / al lado de) la librería y el banco.

—También necesito mandar una carta. ¿Cómo llego al (café / correo)?

—(Lo siento / Cómo no). No sé.

 3 ¿Cómo vas allí?

Escribe cómo vas a los lugares ilustrados. Usa una expresión diferente para cada uno. *(Hint: Write how you get to the places illustrated.)*

 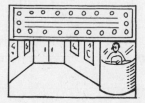 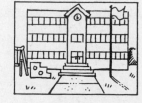 

_____ _____ _____ _____

VOCABULARIO

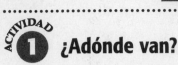 **¿Adónde van?**

¿Adónde van las siguientes personas? Empareja cada oración con una palabra del banco de palabras. *(Hint: Match the words with the sentences.)*

> correo joyería panadería tienda de música zapatería

1. Necesito comprar unos zapatos negros para el baile. _____

2. Tengo hambre. No tengo pan y quiero preparar un sándwich. _____

3. Acabo de escribir una carta y ahora tengo que mandarla. _____

4. Quiero comprar un reloj nuevo porque el reloj que tengo es viejo. _____

5. Voy a comprar el nuevo disco compacto de Enrique Iglesias. _____

ACTIVIDAD 2 **¿Cómo vas allí?**

Explica cómo vas a estos lugares. Usa un medio de transporte diferente para cada oración. *(Hint: Explain how you get to the following places.)*

> **modelo:** parque   <u>Voy al parque a pie.</u>

1. escuela _____

2. cine _____

3. centro comercial _____

4. correo _____

ACTIVIDAD 3 **Tu casa**

Tu amigo(a) va a tu casa después de las clases. Escribe direcciones desde la escuela o desde su casa. *(Hint: Write directions for getting from school or a friend's house to yours.)*

> **modelo:** <u>Para llegar a mi casa, camina...</u>

_____

_____

_____

VOCABULARIO

ACTIVIDAD 1 ¿Cómo vas a...?

¿Cómo vas a los siguientes lugares? Incluye dos maneras de llegar. *(Hint: Give two ways to get to the following locations.)*

1. la isla de Puerto Rico _____

2. el estadio _____

3. Washington, D.C. _____

4. el aeropuerto _____

5. el parque _____

ACTIVIDAD 2 ¿Adónde vas?

Di que vas a los siguientes lugares. Luego di lo que necesitas comprar en cada uno. *(Hint: Say you're going to the following locations and tell what you need in each one.)*

modelo:

Voy a la tienda de música. Tengo que comprar un disco compacto.

_____ _____ _____ _____

_____ _____ _____ _____

ACTIVIDAD 3 De visita

Quieres visitar a tu amigo Pedro pero no sabes cómo llegar a su casa. Escribe un diálogo en que pides direcciones. *(Hint: Write a dialog asking directions to Pedro's house.)*

_____

_____

_____

Nombre _____ Clase _____ Fecha _____

GRAMÁTICA

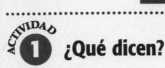 **¿Qué dicen?**

Las siguientes personas están diciendo lo que piensan que ven en una pintura de Rufino Tamayo. Completa cada oración con la forma apropiada del verbo **decir**. *(Hint: Complete the sentences with a form of **decir**.)*

1. Pilar _____ que es un perro.

2. Tú _____ que es un gato.

3. Yo _____ que es un elefante.

4. Raúl y Sofía _____ que es un extraterrestre.

ACTIVIDAD 2 **Opuestos**

Empareja cada frase con la palabra o frase que tiene el sentido opuesto. *(Hint: Match each word or phrase with its opposite.)*

1. a la derecha de   **a.** lejos de

2. cerca de   **b.** hasta

3. desde   **c.** detrás de

4. delante de   **d.** a la izquierda de

ACTIVIDAD 3 **¡Diviértete!**

Acabas de visitar Cancún, México. Ahora tu amigo va a ir a un complejo de hoteles al Dale ideas de cómo divertirse. Escribe cuatro sugerencias, usando la forma del mandato **tú**. Puedes usar los verbos abajo. *(Hint: Write four **tú** commands about enjoying yourself in Cancún.)*

> escuchar   sacar   nadar   pasear   comer

modelo: ¡Nada en la piscina!

_____

_____

_____

_____

GRAMÁTICA B

1 ¿Dicen? ¿Salen?

Completa cada oración con la forma apropiada de **decir** o **salir**. *(Hint: Complete each sentence with the appropriate form of decir or salir.)*

1. Jaime _____ que viene del correo.

2. Mariana _____ de la oficina.

3. Mi tío y yo _____ del banco.

4. Yo _____ que vengo de la librería.

5. Tomás y Ramón _____ del café.

2 Al contrario

Vicente está confundido. Te está dando direcciones al correo, pero tiene todo al revés. Reescribe las instrucciones, usando la expresión opuesta a la que está subrayada. *(Hint: Rewrite the instructions, using expressions that are the opposite of those underlined.)*

El correo queda <u>lejos</u> de aquí. Primero dobla <u>a la derecha</u> en la primera calle. Camina tres cuadras y dobla <u>a la izquierda</u>. El correo queda <u>detrás</u> del banco, en la próxima cuadra.

_____

_____

_____

3 ¡En forma!

Tu amigo quiere hacer ejercicio. Sugiere cinco cosas que él puede hacer, usando la forma del mandato **tú**. Usa los verbos siguientes, u otros: **caminar, comer, correr, jugar.** *(Hint: Use tú commands to suggest five ways to get in shape.)*

_____

_____

_____

_____

_____

Nombre _____ Clase _____ Fecha _____

GRAMÁTICA

C

ACTIVIDAD 1 A tiempo

Vas a un concierto con algunos amigos y te vas a reunir con ellos allí. Tu amiga Rosa llama y quiere saber cuándo todo el mundo sale para el concierto. Dile cuándo cada persona dice que sale. (*Hint: Tell when each person says he or she will leave.*)

> **modelo:** Justin / 5:45
> <u>Justin dice que sale a las seis menos cuarto.</u>

1. Ana y Nacho / 6:30 _____

2. Patricia / 6:15 _____

3. yo / 6:25 _____

4. tu hermano / 6:35 _____

ACTIVIDAD 2 ¿Dónde queda?

Mira el mapa y di dónde están localizados cinco de los lugares. Usa una de estas frases: **al lado de, cerca de, enfrente de, entre, lejos de.** (*Hint: Look at the map and describe where five of the sites shown are located.*)

_____

_____

_____

_____

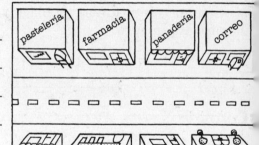

ACTIVIDAD 3 Malas notas

Tu mejor amigo(a) está sacando malas notas este semestre y tú lo(a) aconsejas. Escríbele una carta con cinco sugerencias, usando la forma del mandato **tú**. (*Hint: Write a letter to your friend about how to improve his or her grades.*)

_____

_____

_____

_____

_____

LECTURA A

El centro de mi ciudad

Hola. Soy Lidia Hernández. Aquí tienes un mapa del centro de mi ciudad. Frecuentemente voy al centro para ir de compras o pasar un rato con los amigos. Me gusta ir allí.

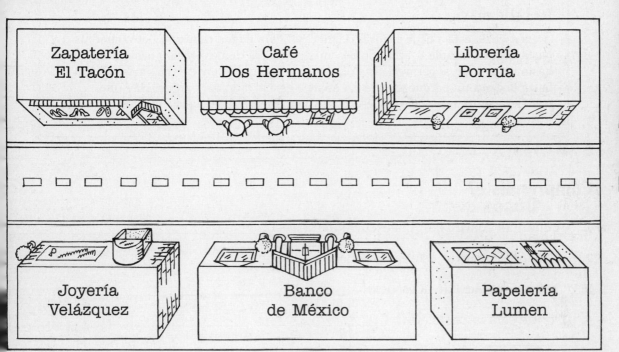

¿Comprendiste?

1. ¿Adónde va Lidia cuando quiere comprar una revista? _____

2. ¿Adónde va cuando tiene sed? _____

3. Si quiere comprar un reloj nuevo, ¿adónde va? _____

4. ¿Dónde compra un cuaderno? _____

5. ¿A Lidia le gusta ir al centro? _____

¿Qué piensas?

1. ¿Es grande o pequeño el centro de la ciudad de Lidia? _____

2. ¿Cúales de esta tiendas te gustaría visitar? _____

LECTURA

Alicia y Juanita se van a reunir en la escuela de Alicia. Lee las direcciones y contesta las preguntas. *(Hint: Read the directions and answer the questions.)*

La calle mayor

La escuela está a doce cuadras de mi casa. Para llegar, caminas cuatro cuadras hasta llegar a la calle Beacon. En Beacon doblas a la derecha y caminas dos cuadras hasta llegar a un supermercado. Allí doblas a la izquierda y caminas seis cuadras hasta llegar a un parque grande. La escuela está al lado del parque. Hay una pastelería entre la escuela y la esquina. Voy a estar en la escuela a las tres. ¡Te veo!

¿Comprendiste?

1. ¿A cuántas cuadras está la escuela de la casa? _____

2. ¿A cuántas cuadras está la calle Beacon de la casa? _____

3. ¿Qué hay al lado de la escuela? _____

4. ¿Dónde está la pastelería? _____

¿Qué piensas?

1. ¿Qué piensas de las direcciones de Alicia? _____

_____

2. ¿Piensas que Alicia vive en un área con mucho transporte público? Explica.

_____

_____

LECTURA C

Pablo habla de su viaje a Taxco. Lee sobre sus planes y contesta las preguntas. *(Hint: Read about Pablo's travel plans and answer the questions.)*

Mi viaje a Taxco

Quiero pasar dos días en Taxco. Para llegar, tengo que tomar el metro a la estación de autobuses. De allí voy a tomar el autobús que va a Taxco. El viaje dura[1] cuatro horas. En Taxco, pienso visitar el mercado de artesanías que está a dos cuadras de la plaza. También quiero caminar por sus calles estrechas[2]. Taxco está lleno de hoteles, orfebrerías[3] y restaurantes donde venden platillos de la región, como el pozole[4]. ¡Por supuesto[5] voy a comer muchos platos!

---

[1] lasts, takes   [2] narrow   [3] silver jewelers   [4] soup made of hominy and pork   [5] Of course

¿Comprendiste?

1. ¿Cuánto dura el viaje a Taxco? _____

2. ¿Dónde está el mercado de artesanías? _____

3. ¿Qué otras cosas hay en Taxco? _____

4. ¿Qué va a comer Pablo en Taxco? _____

¿Qué piensas?

1. ¿Te gustaría ir a Taxco? ¿Por qué? _____

_____

2. ¿Pablo sabe algo sobre Taxco? ¿Cómo lo sabes? _____

_____

TPR STORYTELLING

Vocabulario

la papelería	la calle	a la derecha	el correo	cruzar
la pastelería	la plaza	a la izquierda	las esquinas	doblar

Mini-cuento: ¿Cómo llego a...?

El turista les pregunta a Erica y Sergio cómo llegar a la pastelería. Sergio no oye la pregunta claramente, y piensa que el turista busca la papelería. Él le da direcciones al turista de doblar a la derecha, cruzar la calle y tomar la calle hasta la plaza central. La papelería está en una de las esquinas. Erica dice que la papelería está a tres cuadras del parque de donde están, al lado del correo. Primero el turista tiene que ir a la izquierda y luego... El turista interrumpe y dice que no busca la papelería, sino la pastelería. ¡Qué error! Erica y Sergio deciden caminar a la pastelería con el turista, porque ¡ahora tienen hambre!

VOCABULARIO A

ACTIVIDAD 1 ¿Dónde lo compras?

¿Adónde vas a ir a comprar los siguientes regalos? Usa una de las siguientes: **joyería, tienda de artesanías, tienda de artículos de cuero, tienda de música y videos**. *(Hint: Write where you'd go to buy the following items.)*

1. un anillo de oro_____

4. un cinturón _____

2. una cartera_____

5. una jarra_____

3. un casete_____

6. un videojuego _____

ACTIVIDAD 2 ¡Quiero comprar eso!

Tu amiga habla poco español. Ayúdala con los nombres de los artículos en español. *(Hint: Identify the items in Spanish.)*

      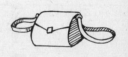

_____   _____   _____   _____   _____

ACTIVIDAD 3 ¡Me encanta regatear!

Pronto vas a ir a México y tienes planes de comprar todo lo que puedes sin gastar mucho dinero. Empieza una lista de expresiones que necesitas saber cuando regateas. *(Hint: Write a list of expressions to use while bargaining.)*

> **modelo:** ¿Cuánto cuesta? Es muy...

_____

_____

_____

_____

_____

VOCABULARIO

ACTIVIDAD 1 ¿Qué es?

Tu amigo sabe lo que vas a recibir para tu cumpleaños y te da pistas. Lee cada descripción y escribe el nombre del regalo. *(Hint: Based on the clues, write the name of the item.)*

1. Son de cuero. Las llevas en el invierno cuando nieva. _____

2. Hay dinero y fotos en esto; es más pequeña que una bolsa. _____

3. La puedes usar si no tienes efectivo. Es de tus padres. _____

4. Usas esto con pantalones; frecuentemente es de cuero. _____

ACTIVIDAD 2 ¿Cuánto?

Describe los siguientes artículos. *(Hint: Describe the following items.)*

modelo:  El disco compacto cuesta 6 pesos.

1. _____

2. _____

3. _____

4. _____

ACTIVIDAD 3 Regateando

Escribe dos listas; una con las expresiones usadas por el (la) vendedor(a) y otra con las usadas por los clientes. Incluye un mínimo de dos expresiones en cada lista. *(Hint: Make lists of expressions a seller and buyer would use.)*

_____

_____

_____

_____

_____

Unidad 4
Etapa 2

Actividades para todos
VOCABULARIO

B

VOCABULARIO C

ACTIVIDAD 1 Regalos para la familia

Quieres comprar regalos para tu familia. Di lo que vas a comprar. *(Hint: Tell what you are going to buy for the people mentioned.)*

1. A tu padre le gusta usar los artículos de cuero. _____

2. A tu madre le gusta usar la cerámica. _____

3. A tu hermana le gusta llevar las joyas. _____

4. A tu hermanito le gusta escuchar música. _____

ACTIVIDAD 2 Realmente no me gusta

Todas estas personas reciben regalos que no les gustan. Di lo que están devolviendo. *(Hint: Write what the people are returning.)*

mi padre

yo

mis abuelos

1. _____

2. _____

3. _____

ACTIVIDAD 3 En el mercado

Es tu último día en Oaxaca. Estás en el mercado buscando un regalo para tu madre. Escribe un diálogo en que regateas por un plato de cerámica. *(Hint: Write a dialog in which you bargain for a ceramic plate.)*

modelo: Perdone, señor. ¿Me deja ver..., por favor?

_____

_____

_____

_____

_____

_____

GRAMÁTICA A

ACTIVIDAD 1 ¿Dónde almuerzan?

Di dónde comen el almuerzo las siguientes personas. Usa la forma correcta de **almorzar**. *(Hint: Use the correct form of **almorzar** to complete the sentences.)*

1. El lunes Pilar _____ en la cafetería.

2. El martes yo _____ en casa.

3. El miércoles mis amigos y yo _____ en el parque.

4. El viernes Rosa y Laura _____ en un café.

5. Y tú, _____ en un restaurante con tu familia, ¿verdad?

ACTIVIDAD 2 Las vacaciones

Marta y Patricia están en una agencia de viajes. Completa su conversación con el agente. *(Hint: Complete the sentences.)*

Marta: ¿Cuánto _____ (costar) una habitación en un hotel bueno?

Agente: No _____ (encontrar) los precios en este momento pero

_____ (pensar) que son muy caras.

Patricia: Yo no _____ (poder) pagar mucho dinero.

Marta: Tú siempre _____ (encontrar) todo caro.

ACTIVIDAD 3 Un regalo, pero... ¿para quién?

¿Quién le está comprando qué a quién? *(Hint: Write who's buying what for whom.)*

modelo: yo / pulsera / a mi hermana   <u>Yo le compro una pulsera a mi hermana.</u>

Rafael / disco compacto / a sus padres

mis padres / cartera / a mí
tú / anillo / a tu amiga
mi abuelo / radiocasete / a nosotros

1. _____

2. _____

3. _____

4. _____

GRAMÁTICA **B**

ACTIVIDAD **1** ¡Lo que hacen!

Escribe oraciones usando la forma correcta de los verbos. *(Hint: Write the sentences.)*

modelo: yo / volver a casa tarde <u>Yo vuelvo a casa tarde.</u>

1. tú / almorzar conmigo _____

2. Beto / recordar mi dirección _____

3. mi padre / dormir por la tarde _____

4. nosotros / devolver los libros _____

5. ustedes / encontrar buenos regalos _____

ACTIVIDAD **2** En el mercado

Di lo que están haciendo estas personas en el mercado usando la forma correcta de uno de los verbos en paréntesis. *(Hint: Write the correct form of the verb.)*

1. Yo (almorzar / costar) _____ con unos amigos.

2. Sonia (devolver / dormir) _____ los zapatos.

3. Mis amigos y yo (encontrar / volver) _____ nuestras carteras.

4. Raúl y Felipe (contar / poder) _____ su dinero.

5. Y tú, ¡siempre (dormir / recordar) _____ ! ¿Estás enfermo?

ACTIVIDAD **3** ¡Regalos!

Tu abuela, tu mejor amigo(a) y tus hermanos cumplen años este mes. Di lo que le vas a comprar a cada uno. *(Hint: Write what you're buying as gifts.)*

modelo: <u>Yo le compro una pulsera a mi abuela.</u>

_____

_____

_____

_____

_____

GRAMÁTICA C

ACTIVIDAD 1 ¿Qué le compras?

Estás comprando regalos para tu familia. Tu amiga te pregunta qué le compras a cada persona. *(Hint: Say what you're buying.)*

modelo: ¿Qué le compras a tu mamá?
Le compro una blusa.

1. ¿Qué les compras a tus hermanos? _____

2. ¿Me compras algo? _____

3. ¿Te compras algo? _____

4. ¿Qué le compras a Maribel? _____

ACTIVIDAD 2 De compras

Las siguientes personas están de compras. Di lo que está haciendo cada uno, usando un verbo del banco de palabras. *(Hint: Tell what each person is doing.)*

> devolver   contar   almorzar   poder   volver

1. Mi madre _____ a la tienda para compar un cinturón.

2. Mi padre _____ una cartera y compra otra que le gusta más.

3. Tú no _____ comprar nada porque no tienes dinero.

4. Nosotros _____ en un restaurante en el mercado.

5. Yo _____ el dinero que tengo en mi cartera.

ACTIVIDAD 3 ¿Qué te dieron?

Describe qué tipo de regalos se intercambia tu familia para los cumpleaños. Usa **me, te, le, nos, les** en tu descripción. *(Hint: Describe the gifts that your family exchanges.)*

modelo: Yo le doy a mi mamá libros. Ella me da discos compactos.

_____

_____

_____

_____

LECTURA A

En el Mercado Libertad

Lee acerca de los planes de Maricarmen de ir al Mercado Libertad. Después haz las actividades que siguen. *(Hint: Read about Maricarmen's plans to go to the market, then answer the questions.)*

> Maricarmen está en Oaxaca de vacaciones. Va al Mercado Libertad para comprar regalos para su familia. Lo primero que hace cuando llega es caminar por todo el mercado para saber los precios de algunos de los artículos que piensa comprar. Aquí están:
>
>

¿Comprendiste?

¿Es cierto o falso? Escribe las oraciones falsas correctamente. *(Hint: True or false?)*

1. Maricarmen está en Colombia. _____

2. Ella lee una novela. _____

3. Una pulsera cuesta noventa y cinco pesos. _____

4. Una jarra cuesta más que una cartera. _____

¿Qué piensas?

1. ¿Qué vas a comprar en el Mercado Libertad si tienes setenta y cinco pesos?

   _____

2. ¿Qué artículos piensas que hay en una tienda de departamentos que no hay en este

   mercado? _____

   _____

Unidad 4
Etapa 2

Actividades para todos
LECTURA

A

LECTURA B

Los mercados

Cuando Patricia viaja a Latinoamérica le gusta ir de compras a los mercados típicos. Le gusta mucho regatear con los vendedores. Es una buena manera de practicar español. Cuando pregunta: «¿Cuánto cuesta esto?», siempre responde con un «¡Es muy caro! ¿Lo deja por menos?» De esta manera compra muchas cosas baratas. Lo malo es que no aceptan tarjetas de crédito y hay que pagar en efectivo. Y a veces la calidad de la mercancía no es muy buena.

¿Comprendiste?

1. Di dos ventajas (*advantages*) de comprar en los mercados típicos. _____

_____

2. Di dos desventajas (*disadvantages*) de comprar en los mercados típicos. _____

_____

3. Di dos frases que puedes usar para regatear en un mercado. _____

_____

4. ¿Qué practica Patricia cuando regatea con los vendedores? _____

_____

¿Qué piensas?

1. ¿Piensas que Patricia es buena regateadora? Explica. _____

_____

2. ¿Te gustaría regatear con los vendedores en uno de estos mercados? ¿Por qué?

_____

_____

LECTURA C

Lee el artículo y responde a las preguntas. *(Hint: Read the article and answer the questions.)*

Cresencio Pérez Robles tiene más de setenta años, pero continúa con la tradición huichol: creando cuadros de estambre[1]. Los indios huichol no crean sus obras de arte en piedra o cerámica, sino en estambre. En los cuadros ponen sus ideas religiosas y espirituales. Los cuadros son muy coloridos, y cada uno es diferente. Cresencio requiere mucho tiempo para crear un cuadro. Para crear un cuadro huichol, necesita materiales como la cera de abeja[2], una base de contrachapado[3] y estambre.

Cresencio aprendió[4] el proceso de sus padres. Ahora toda su familia se dedica al arte huichol. Cresencio participa en varias demostraciones de arte nacionales e internacionales. Cresencio está asegurando[5] que las tradiciones de su cultura van a continuar.

[1] *cuadros...* yarn pictures   [2] *cera...* beeswax   [3] plywood   [4] learned   [5] ensuring

¿Comprendiste?

1. ¿Cuántos años tiene Cresencio Pérez Robles? _____

2. ¿Qué materiales necesita para hacer un cuadro de estambre? _____

_____

3. ¿Quiénes son los maestros de Cresencio? _____

4. ¿Cuáles son las características de los cuadros de estambre? _____

_____

¿Qué piensas?

1. ¿Por qué es el arte una parte importante de la cultura de Cresencio Pérez Robles?

_____

2. ¿Te gustaría aprender a crear cuadros de estambre? ¿Por qué? _____

_____

TPR STORYTELLING

Vocabulario

el regalo	barata	el efectivo	almuerzan	el anillo
caro	la pulsera	la tarjeta de	el disco	volver
		crédito	compacto	

Mini-cuento: Un regalo para mamá

Silvia y Jane van de compras. Jane quiere comprar un regalo para el cumpleaños de su mamá. Primero, van a la tienda de música. Allí, Jane compra un disco compacto que le gusta. Silvia no compra nada. Luego van a la joyería. A Jane le gusta un anillo, pero es caro. Hay una pulsera más barata. Es difícil decidir. Como Jane no tiene efectivo suficiente para comprar el anillo, decide usar su tarjeta de crédito. Luego las dos muchachas almuerzan. Silvia dice que Jane es muy generosa por comprar tantos regalos para su mamá. Jane dice que el disco compacto y el anillo no son para su mamá; son para ella. ¡Jane tiene que volver para comprar un regalo para su mamá!

VOCABULARIO A

 1 Vegetariana

Alicia es vegetariana. Di si ella puede o no puede comer las siguientes comidas. Escribe **Sí** o **No.** *(Hint: Tell which of the following items a vegetarian would eat.)*

1. azúcar _____

2. salsa _____

3. bistec _____

4. ensalada _____

5. enchilada de pollo _____

 2 ¿Adónde fuiste?

¡Acabas de comprar mucho hoy! Hay dibujos de todas tus compras. En base a los dibujos, di adónde fuiste. *(Hint: Based on the drawings, tell where you went.)*

_____

_____

_____

_____

_____

3 En un restaurante

Escuchas a un mesero en un restaurante hablando con un cliente llamado Ángel. El restaurante es tan ruidoso que no puedes oír partes de su conversación. Completa la conversación con las palabras que faltan. *(Hint: Fill in the missing words.)*

Mesero: Buenas tardes, señor. Aquí tiene _____.

Ángel: Gracias. ¿Me ayuda a _____?

Mesero: Recomiendo las _____ de carne. Son muy ricas.

Ángel: Está bien, entonces. _____ las enchiladas de carne y árroz también.

Unidad 4 Etapa 3 — Actividades para todos VOCABULARIO — A

VOCABULARIO

 1 A la mesa

Pilar está almorzando en su restaurante favorito. Completa las siguientes oraciones con la palabra que corresponde a cada dibujo. *(Hint: Fill in the words.)*

Pilar entra en el restaurante. El mesero le trae el  _____.

Después de pedir, le trae una _____ y un

_____ con _____. De postre ella pide

_____. Finalmente el mesero le da la  _____.

 2 ¿Qué necesitas?

Estás listo(a) para comer o beber en un restaurante y no puedes porque necesitas algo. Tienes las siguientes cosas. ¿Qué artículo necesitas para cada comida? Usa **necesito...** *(Hint: Write what dish or utensil you need.)*

1. una jarra de limonada _____

2. una olla de café _____

3. un plato de sopa _____

4. un plato de arroz _____

5. un bistec _____

 3 Tu restaurante favorito

Invitas a un(a) amigo(a) a uno de tus restaurantes favoritos. Dile qué comida debe pedir (incluyendo bebidas y postre) y por qué la recomiendas. *(Hint: Tell a friend what to order.)*

_____

_____

_____

_____

VOCABULARIO

....

1 En un restaurante mexicano

Estás en un restaurante mexicano y escuchas partes de conversaciones. Completa cada oración con una palabra del vocabulario. *(Hint: Fill in the missing words.)*

—Voy a pedir una enchilada de _____ porque soy vegetariana.

—No quiero una _____. No me gusta la lechuga.

—Me gusta la comida picante. Voy a pedir _____.

—Quiero algo dulce para mi té. Voy a pedir _____.

—No voy a pedir bistec. Nunca como _____.

2 ¡Vamos a comer!

Completa las oraciones con vocabulario de la etapa. *(Hint: Complete the sentences.)*

1. Tengo una cuchara y un cuchillo, pero necesito _____.

2. ¡Ayyy! Estos chiles son muy _____.

3. El flan es más que delicioso, es ¡_____!

4. ¿Me trae _____ de café? Gracias.

3 El Restaurante Miraflor

Escribe un diálogo entre un cliente y un(a) mesero(a) en un restaurante mexicano. Pide una comida y una bebida. Finalmente, pide la cuenta. La primera línea del cliente sigue. *(Hint: Write a dialog between a client and a waiter.)*

—Por favor, ¿me trae el menú?

_____

_____

_____

_____

_____

_____

GRAMÁTICA

1 Los gustos son diferentes

A cada persona de tu familia le gusta algo diferente. Completa cada oración con **gusta** o **gustan**. (*Hint: Complete each sentence with **gusta** or **gustan**.*)

1. A mí me _____ las enchiladas de carne.

2. A mi padre le _____ el arroz con pollo.

3. A mi madre le _____ el bistec.

4. A mi hermana le _____ las ensaladas.

5. A mis hermanitos no les _____ nada.

2 En un restaurante

Estás en un restaurante y escuchas partes de conversaciones. Hay tanto ruido y no oyes algunas palabras. Escribe las palabras que faltan escogiendo del banco de palabras. (*Hint: Complete the sentences.*)

algo	nada	nadie	también

1. —¿Hay alguien en la oficina?   —No, no hay _____.

2. —¿Qué vas a hacer?   —No quiero hacer _____.

3. —Me gustan las enchiladas.   —A mí _____.

4. —¿Vas a tomar _____?   —No, no tengo sed.

3 ¿Qué te gusta?

Di si te gustan o no te gustan las siguientes bebidas y comidas y por qué. Usa las siguientes palabras y frases: **el café, los quesos, el bistec, los refrescos de fruta.** (*Hint: Write about your likes and dislikes.*)

   modelo: flan <u>Me gusta el flan porque es dulce.</u>

_____

_____

_____

_____

GRAMÁTICA B

ACTIVIDAD 1 **¡De mal humor!**

Estás de mal humor y no estás de acuerdo con todo lo que escuchas. Haz cada una de las oraciones siguientes negativas. *(Hint: Make each of the following sentences negative.)*

1. Alguien juega en el gimnasio. _____

2. Quisiera tomar algo. _____

3. Siempre pido limonada. _____

4. Voy a pedir algún postre. _____

ACTIVIDAD 2 **¿Te gusta(n)?**

Di si te gusta o no cada artículo de la lista. Escribe una oración para cada cosa. *(Hint: Write a sentence about each of the following.)*

1. limonada _____

2. enchiladas _____

3. poner la mesa _____

4. postres _____

5. carne _____

6. desayunar en un café _____

ACTIVIDAD 3 **Tu mejor amigo(a)**

Conoces muy bien a tu mejor amigo(a). Explica las comidas y bebidas que a él o ella le gustan y no le gustan. Escribe cinco oraciones. Usa por lo menos <u>dos</u> sustantivos plurales. *(Hint: Write five sentences about your best friend's likes and dislikes in food.)*

modelo: <u>A mi mejor amigo(a) le gusta(n)...</u>

_____

_____

_____

_____

_____

Unidad 4
Etapa 3

Actividades para todos
GRAMÁTICA

B

GRAMÁTICA C

ACTIVIDAD 1 ¿Le gusta o no?

Escribe oraciones de los fragmentos indicando si al sujeto le gustan o no las comidas. *(Hint: Make complete sentences out of the phrases.)*

1. a mi gato: bistec _____

2. a mi tío: bebidas calientes _____

3. a mí: ensaladas _____

4. a mi profesor(a) de inglés: flan _____

5. a mis padres: sopa _____

ACTIVIDAD 2 Al contrario

No estás de acuerdo con todo lo que escuchas. Si la oración es afirmativa, hazla negativa; si es negativa, hazla positiva. *(Hint: Make the positive sentences negative, and vice versa.)*

1. No hay nada en mi mochila. _____

2. Nunca ayudo a mis padres. _____

3. Alguien sabe cuánto es la cuenta. _____

4. Voy a comer en algún restaurante mexicano. _____

ACTIVIDAD 3 El restaurante sirve...

Usa **pedir** y **servir** para describir qué pasa bajo las siguientes circunstancias. *(Hint: Use pedir and servir to talk about the situations described.)*

1. en un restaurante mexicano _____

2. cuando hay una fiesta en tu casa _____

3. cuando vas a la cafetería de la escuela _____

4. cuando tienes sed _____

5. en un restaurante de comida rápida _____

LECTURA

Receta

A veces cuando vuelves a casa, tienes sed, ¿verdad? ¿Qué tomas? ¿Un refresco?, ¿agua? Los chicos mexicanos frecuentemente toman licuados de fruta, por ejemplo, un licuado de banana. Aquí tienes una receta fácil para preparar un licuado de banana.

LICUADO[1] DE BANANA

Ingredientes
1 banana
1 cucharadita[2] de azúcar
hielo

Cómo prepararlo
1. Cortar[3] la banana
2. Poner los ingredientes en una licuadora[4]
3. Licuar por 2 minutos

[1] fruit shake   [2] teaspoon   [3] cut   [4] blender

¿Comprendiste?

Estas frases son falsas. Escríbelas correctamente. *(Hint: Correct the sentences.)*

1. Los chicos mexicanos prefieren licuados de fruta por la mañana. _____

_____

2. Es difícil preparar un licuado de banana. _____

3. Hay dos vasos de agua en un licuado. _____

4. No hay azúcar en un licuado. _____

¿Qué piensas?

1. ¿Te gustaría tomar un licuado de banana? _____

2. ¿Qué otra fruta te gustaría poner en un licuado? _____

LECTURA B

Menús del día

PRIMEROS PLATOS
Frijoles verdes con jamón[1]
Ensalada rusa
Sopa de pescado[2]
Cocido[3] completo
Frijoles blancos del barco

SEGUNDOS PLATOS
Ternera[4] asada
Filete de ternera
Pollo asado
Trucha[5] asalmonada
Calamares[6] a la andaluza

**4 PRIMEROS Y SEGUNDOS
PLATOS A ELEGIR CADA DÍA
CON POSTRE Y BEBIDA**

**INSTALACIONES NUEVAS, BUEN AMBIENTE, SERVICIO ESMERADO
¡¡NO DEJE DE VISITARNOS!! DISPONEMOS DE UN GRAN SURTIDO
DE PLATOS COMBINADOS DESDE 5000 Bolívares**

[1]ham [2]fish [3]stew [4]veal [5]trout [6]squid

¿Comprendiste?

¿Es cierto o falso? Escribe las oraciones falsas correctamente. (*Hint: Rewrite the false sentences to correct them.*)

1. El restaurante está en Madrid. _____

2. El menú tiene nueve primeros platos. _____

3. Es un restaurante vegetariano. _____

4. No sirven postres en el restaurante. _____

5. El menú tiene una lista de bebidas. _____

¿Qué piensas?

1. ¿Qué te gustaría pedir de los primeros platos? _____

2. ¿Te gustaría comer en este restaurante? _____

LECTURA C

Receta

ARROZ CON LECHE¹

Este postre es muy popular en México.

Ingredientes

1 taza de arroz	3 tazas de agua
1/2 cucharadita de canela²	2 tazas de leche
1 cajita de pasas³	1 onza de queso
1/2 lata⁴ de leche condensada	1 cucharada de vainilla
1/4 libra de mantequilla⁵	

Preparación

Poner agua en una cacerola⁶. Hervir⁷ el arroz con la canela
   por 3/4 de hora.
Poner la leche, las pasas, la mantequilla y la vainilla.
Luego poner la leche condensada y el queso.
Poner el arroz con leche en el refrigerador.

¹milk   ²cinnamon   ³small box of raisins   ⁴can   ⁵pound of butter   ⁶pan   ⁷boil

¿Comprendiste?

¿Es cierto o falso? *(Hint: True or false?)*

C   F   **1.** Hay carne en el arroz con leche.

C   F   **2.** Hay más agua que leche.

C   F   **3.** Comes el arroz con leche caliente.

C   F   **4.** Comes el arroz con leche con el desayuno.

¿Qué piensas?

1. ¿Te gustaría comer arroz con leche? ¿Por qué? _____
_____

2. ¿Te gustaría preparar arroz con leche? ¿Por qué? _____
_____

TPR STORYTELLING

Vocabulario

el mesero	rico	la sopa	¿Me trae...?	el flan
el pollo	Quisiera...	la ensalada	vegetariana	el pastel
				el postre

Mini-cuento: ¡Primero, el postre!

La familia Ruiz va al restaurante antes de ir al cine. El señor Ruiz ve el menú y le dice al mesero: —Quisiera un pollo rico, por favor.

El mesero recomienda la sopa y la ensalada para la señora Ruiz porque ella es vegetariana. Su hija, Bárbara, no sabe qué pedir. El señor Ruiz está preocupado porque es tarde y quiere llegar al cine a tiempo. Finalmente, Bárbara pregunta: —¿Me trae un flan y un pastel, por favor?

Su papá quiere saber por qué ella los pide en vez de carne o algo más usual. ¡Bárbara dice que quiere comer el postre primero porque ellos tienen mucha prisa!

VOCABULARIO

1 Una mañana típica

Dolores describe una mañana típica. ¿Qué dice? (*Hint: Choose the best word to complete the sentence.*)

Primero, me (acuesto / despierto) a las seis y media. Me (lavo / peino) la

cara y me (pongo/afeito) la ropa. Luego desayuno con mi familia y ayudo a

(quitar la mesa / poner la mesa). Si tengo tiempo, me (levanto / peino) el pelo

antes de salir para la escuela.

2 ¿Qué se lava?

Mariana se prepara para ir a la escuela. Di lo que se lava. (*Hint: Tell what Mariana washes.*)

_____ _____ _____ _____ _____

3 ¿Qué haces?

Di tres cosas que haces para ayudar en casa y una cosa que nunca haces. Usa el modelo para empezar. (*Hint: Tell three chores you do and one you never do.*)

modelo: <u>Camino con el perro...</u>

_____

_____

_____

_____

VOCABULARIO

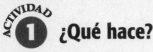

ACTIVIDAD 1 ¿Qué hace?

Carlos se prepara para ir a la escuela. Di lo que hace. *(Hint: Based on what Carlos is using, tell what he is doing.)*

_____ _____ _____ _____ _____

_____ _____ _____ _____ _____

ACTIVIDAD 2 ¿Qué usas para...?

¿Qué necesitas o qué usas para hacer las siguientes actividades? *(Hint: Name an item you would need or use.)*

1. lavarte la cabeza _____

2. verte para maquillarte _____

3. lavarte los dientes _____

4. secarte después de ducharte _____

5. lavarte en la ducha _____

ACTIVIDAD 3 ¿Quién lo hace?

Compartes los quehaceres con tu familia. Di quién hace qué con cuatro oraciones. Usa el modelo para empezar. *(Hint: Tell who does what.)*

modelo: Mi padre prepara la comida.

_____

_____

_____

_____

_____

VOCABULARIO C

¡Qué guapo!

Jorge se prepara para ir a un baile en la escuela. Escribe cuatro cosas que hace antes de ir al baile. *(Hint: Tell four things Jorge does to look good.)*

1. Primero, me lavo los _____ y me afeito.

2. Después me ducho y me seco con la _____.

3. Para peinarme, uso el _____.

4. Finalmente me pongo la ropa y me miro en el _____.

Lo necesitas, pero... ¿para qué?

Escribe para qué necesitas las siguientes cosas. *(Hint: Tell why you need the items pictured.)*

modelo: Necesito champú porque quiero lavarme la cabeza.

_____ _____ _____ _____

_____ _____ _____ _____

Los sábados

Siempre estás ocupado(a) los sábados porque hay mucho trabajo que hacer. Di lo que haces y en qué orden. Escribe cuatro oraciones. *(Hint: Tell four chores you do and in what order.)*

modelo: Primero, yo...

_____

_____

_____

_____

Nombre _____ Clase _____ Fecha _____

GRAMÁTICA

ACTIVIDAD 1 De vacaciones

Cuando estás de vacaciones, tu horario cambia. Di a qué hora haces las siguientes actividades. *(Hint: Tell at what time you do these things when vacationing.)*

> **modelo:** peinarse <u>Me peino a las diez de la mañana.</u>

1. despertarse _____

2. ducharse _____

3. ponerse la ropa _____

4. acostarse _____

ACTIVIDAD 2 El niñero

Tus padres están de vacaciones y cuidas a tus hermanos. Diles lo que tienen que hacer. *(Hint: Tell your siblings what to do.)*

(hacer)   (poner)   (tener)   (ser)

_____   _____   _____   _____

ACTIVIDAD 3 Mandón(a)

Pasas una semana en un campamento de verano. Compartes una cabaña con otra persona y siempre tienes que decirle lo que no debe hacer. *(Hint: Tell your cabinmate what not to do.)*

> **modelo:** <u>Por favor, no hagas mucho ruido por la mañana.</u>

_____

_____

_____

_____

GRAMÁTICA B

ACTIVIDAD 1 El sábado de Carolina

Todos los sábados Carolina hace las mismas cosas. Describe una mañana típica para ella.   *(Hint: Describe Carolina's routine.)*

1. despertarse a las ocho _____

2. ducharse_____

3. ponerse la ropa _____

4. maquillarse _____

5. lavarse los dientes _____

ACTIVIDAD 2 Malos consejos

Rosa le da malos consejos a su hermanita. Escribe lo que le dice. *(Hint: Write negative commands.)*

> **modelo:**   Ella limpia el cuarto. <u>No limpies el cuarto.</u>

1. Ella hace la cama. _____

2. Ella lava los platos._____

3. Ella pone la mesa._____

4. Ella escribe la tarea. _____

ACTIVIDAD 3 Consejero(a)

Mañana es el primer día de vacaciones. Quieres dormir hasta tarde. ¿Qué le dices a tu hermanito? *(Hint: Tell your little brother how to behave.)*

> **modelo:**   <u>Vete a tu cuarto.</u>

_____

_____

_____

_____

_____

Nombre _____ Clase _____ Fecha _____

GRAMÁTICA

 **La mañana de Raúl**

Es una mañana típica para Raúl. Todos le dicen qué hacer. Completa las oraciones usando el imperativo. *(Hint: Complete the sentences with commands.)*

Su madre le dice: «_____ la cama antes de salir». Su hermana le dice:

«_____ cuidado con los platos». Su padre le dice: «_____ ahora para la

escuela». Su hermano le dice: «_____ conmigo al parque después de las clases».

2 Gemelos

Mario y María son gemelos. Le dan órdenes a su hermanito Jorge. María siempre contradice a Mario. Escribe lo que dice ella. *(Hint: María contradicts Mario. Write what María says.)*

Mario:	**María:**
1. ¡No hagas tu cama!	_____
2. ¡Pon la mesa!	_____
3. ¡No laves los platos!	_____
4. ¡No comas el postre!	_____
5. ¡Quita la mesa!	_____

3 Sabelotodo

Éste es tu primer año en la universidad. Tu hermano mayor quiere darte consejos. ¿Qué te dice? *(Hint: Write commands.)*

    modelo: ¡Estudia todas las noches!

_____

_____

_____

_____

LECTURA A

De compras

Lee el anuncio y contesta las preguntas. *(Hint: Read the ad and answer the questions.)*

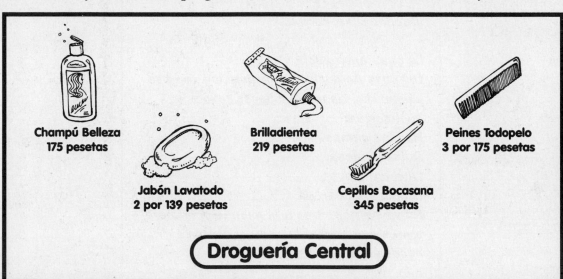

Champú Belleza
175 pesetas

Jabón Lavatodo
2 por 139 pesetas

Brilladientea
219 pesetas

Cepillos Bocasana
345 pesetas

Peines Todopelo
3 por 175 pesetas

Droguería Central

¿Comprendiste?

¿Es cierto o falso? *(Hint: True or false?)*

C   F   **1.** Un peine cuesta más que un jabón.

C   F   **2.** La pasta de dientes es más cara que el champú.

C   F   **3.** Si tienes 500 pesetas, puedes comprar champú, pasta de dientes y un cepillo de dientes.

C   F   **4.** Los productos Belleza son para los dientes.

C   F   **5.** Necesitas estos productos para limpiar la casa.

¿Qué piensas?

1. ¿Qué puedes hacer con estos productos?

_____

_____

2. Después de leer el anuncio, ¿qué quieres comprar? ¿Por qué?

_____

Nombre _____ Clase _____ Fecha _____

LECTURA B

Lee la lista de quehaceres de Pablo. Contesta las preguntas. *(Hint: Read the chores list and answer the questions.)*

> ¡Buenos días, Pablo!
>
> La casa está sucia.
> Después de ducharte, lavarte los dientes
> y peinarte, tienes que hacer estos
> quehaceres:
> Haz las camas.
> Quita la mesa.
> Lava los platos.
> Limpia los cuartos.
> No vayas al parque o al gimnasio. Primero,
> tienes que limpiar la casa, y después
> puedes ir a jugar.
>
> Abrazos,
> Mamá

¿Comprendiste?

1. ¿Por qué no puede salir Pablo? _____

2. ¿Qué necesita hacer Pablo antes de hacer los quehaceres? _____

_____

3. ¿Cuáles son tres de las cosas que Pablo tiene que hacer? _____

_____

¿Qué piensas?

1. ¿Qué piensas que prefiere hacer Pablo? _____

_____

2. En tu opinión, ¿es la mamá de Pablo demasiado estricta? Explica.

_____

LECTURA

Fundación Joan Miró

La Fundación Joan Miró está en el Parque Montjuïc de Barcelona. Consta[1] de 10.000 piezas, la mayoría del artista catalán Joan Miró (1893–1983). Miró tiene un estilo muy particular de formas fluidas y colores brillantes en las pinturas. Casi todas las obras de Miró en el museo son regalos del propio artista.

Uno de los otros artistas con obras en la Fundación es Max Ernst (1891–1976), un alemán[2] en París durante la década de los veinte, igual que Miró. Integra junto con Miró y muchos otros el grupo de los surrealistas. La época de más plenitud artística de Miró empieza cuando regresa a Barcelona de París en 1942.

Si quieres más información sobre la Fundación Joan Miró y sobre el artista, busca en el siguiente sitio de Internet: www.bcn.fjmiro.es.

[1] it consists   [2] German

¿Comprendiste?

1. ¿En qué lugar de Barcelona está la Fundación Joan Miró? _____

_____

2. ¿Quién da la mayoría de las obras de Miró a la Fundación? _____

_____

3. ¿Cómo es el estilo de Miró? _____

4. ¿Qué otro artista tiene obras en la Fundación? ¿Qué conexión tiene con Miró?

_____

¿Qué piensas?

1. ¿Te gustaría visitar la Fundación Joan Miró? ¿Por qué? _____

_____

2. ¿Qué piensas de tener un museo en un parque? _____

_____

Nombre _____ Clase _____ Fecha _____

TPR STORYTELLING

Vocabulario

| durmiendo el despertador maquillarse | despertar ¡Despiértate! | lavarse la cara levantarse | ponerse la ropa peinarse | lavándose los dientes ducharse |

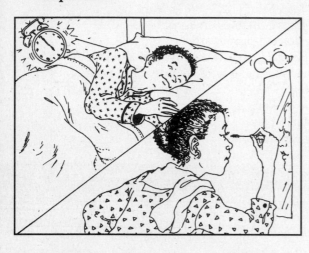
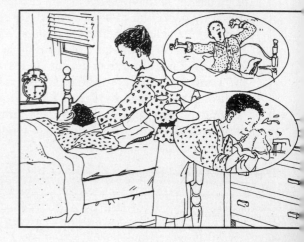

Mini-cuento: ¡Despiértate, Guillermo!

Guillermo Pérez está durmiendo y no oye el despertador. Después de maquillarse, la señora Pérez trata de despertar a Guillermo y le dice: «¡Despiértate, Guillermo!» Guillermo necesita levantarse y lavarse la cara, pero él sigue durmiendo. El señor Pére: sabe que Guillermo necesita ponerse la ropa. Va a su cuarto y le dice: «¡Despiértate, Guillermo!» El señor Pérez no lo puede despertar tampoco. La hermana de Guillermo trata de despertarlo: «¡Despiértate, Guillermo!» Su hermana sabe que necesita tiempo para peinarse. Guillermo no reacciona. Aun el perro no puede despertar a Guillermo. Cuando el resto de la familia está terminando su desayuno, Guillermo aparece lavándose los dientes. ¡Él está de mal humor, porque ahora no tiene tiempo para ducharse!

VOCABULARIO A

ACTIVIDAD 1 ¿Dónde están?

Di dondé está cada persona, usando los dibujos. *(Hint: Tell where these people are.)*

| mi hermana | mi hermanito y mi padre | mi madre | yo |

1. Yo _____.

2. Mi hermana _____.

3. Mi madre _____.

4. Mi hermanito y mi padre _____.

ACTIVIDAD 2 Antes de ir al cine

Tú y tus amigos quieren ir al cine esta tarde, pero primero deben hacer ciertas cosas. *(Hint: Tell what these people should do.)*

1. Carmen / barrer el suelo _____

2. Raúl y su hermano / sacar la basura _____

3. yo / planchar unas camisas _____

4. mi hermana y yo / quitar el polvo _____

ACTIVIDAD 3 Tu cuarto

Escribe cuatro oraciones en las cuales describes qué objetos hay en tu cuarto y para qué los usas. *(Hint: Describe objects in your room.)*

modelo: Tengo un escritorio en mi cuarto y lo uso para escribir.

_____

_____

_____

_____

VOCABULARIO

ACTIVIDAD 1 ¿Cierto o falso?

Lee las siguientes oraciones y escoge una **C** si la información es cierta y una **F** si es falsa. *(Hint: Choose **C** if the information is correct and **F** if it is false.)*

C   F   **1.** La aspiradora se usa para quitar el polvo.

C   F   **2.** Necesito mover los muebles para preparar la comida.

C   F   **3.** Normalmente el sofá está en el comedor.

C   F   **4.** Plancho la ropa antes de lavarla.

ACTIVIDAD 2 ¿Dónde y qué?

Escoge del banco de palabras la palabra apropiada para cada oración. *(Hint: Complete the sentences.)*

jardín	sala	habitación	llave

1. Las flores y los árboles están en el _____.

2. Hay una cama grande en la _____.

3. La _____ de mi casa tiene un sofá y un sillón.

4. Uso la _____ para abrir la puerta.

ACTIVIDAD 3 Los quehaceres de la casa

Escribe sobre las dos cosas que más te gusta hacer y las que menos te gusta hacer para ayudar en la casa y explica por qué. *(Hint: Write about chores you like and don't like to do.)*

modelo: Me gusta barrer el suelo porque es buen ejercicio.

No me gusta pasar la aspiradora porque hace mucho ruido.

_____

_____

_____

_____

_____

VOCABULARIO

1 En un café de tapas

Di lo que están comiendo las siguientes personas en un café de tapas. *(Hint: Tell what the people are eating.)*

Ramón   **Sofía**   **yo**   **mis amigos**

1. Ramón _____.

3. Yo _____.

2. Sofía _____.

4. Mis amigos _____.

2 ¿Qué hacen?

Subraya la palabra apropiada para completar la oración. *(Hint: Underline the words that complete the sentences.)*

1. Yo (barro / muevo) el suelo.

2. Carlos (saca / ordena) la basura todas las mañanas.

3. Lía (olvida / plancha) la ropa después de lavarla.

4. Miguel (pasa / barre) la aspiradora.

3 La casa típica

Tienes una amiga que vive en España y ella quiere saber cómo es una casa típica en Estados Unidos. Le escribes una carta en la que la describes. *(Hint: Write a letter describing a typical house in the U.S.)*

modelo: <u>La sala es grande. Hay...</u>

_____

_____

_____

_____

GRAMÁTICA A

ACTIVIDAD 1 ¿Qué están haciendo?

Escribe oraciones para decir qué están haciendo las siguientes personas. *(Hint: Write sentences.)*

> **modelo:** Elena / barrer el suelo   Elena está barriendo el suelo.

1. ustedes / servir la comida _____
2. ellos / ordenar los libros _____
3. ella / sacar la basura _____
4. yo / mover los muebles _____

ACTIVIDAD 2 El deber

Di lo que deben hacer estas personas para resolver su situación. *(Hint: Say what these people should do.)*

> **modelo:** Mi habitación está sucia. Tú debes limpiar tu habitación.

1. Carlos y María no tienen ropa limpia. _____
2. Tu casa tiene mucho polvo. _____
3. Pablo ve que hay mucha basura. _____
4. Ana lleva flores del jardín. _____

ACTIVIDAD 3 ¿Cómo...?

Usa palabras terminadas en **-mente** para describir cómo hacer las siguientes actividades. Usa una palabra diferente para cada oración. *(Hint: Describe how you do the following.)*

> **modelo:** mover los muebles   Muevo los muebles frecuentemente.

1. limpiar tu cuarto _____
2. lavar los platos _____
3. quitar el polvo _____
4. andar en bicicleta _____
5. hacer la tarea _____

GRAMÁTICA B

ACTIVIDAD 1 Los deberes

Di lo que las siguientes personas deben hacer, de acuerdo con estas situaciones. *(Hint: Tell what these people should do.)*

modelo: Ana tiene un examen difícil mañana.
<u>Ella debe estudiar esta noche.</u>

1. Yo no tengo nada para comer. _____

2. Mi mamá cumple años el martes. _____

3. El apartamento de los estudiantes está muy sucio. _____

4. Nosotros no tenemos ropa limpia. _____

ACTIVIDAD 2 ¡Pero mamá!

Tu mamá te dice que debes hacer los siguientes quehaceres. Ya estás haciendo cada uno. Haz los dos papeles. *(Hint: Write your mother's commands and your response.)*

modelo: ordenar las flores
<u>Ordena las flores. Ya las estoy ordenando/estoy ordenándolas.</u>

1. mover los muebles _____

_____

2. barrer el suelo _____

_____

3. pasar la aspiradora _____

_____

ACTIVIDAD 3 ¿Cómo lo haces?

Haz una lista de tres actividades que haces y luego di cómo haces cada una. *(Hint: Make a list of three things you do and how you do them.)*

modelo: escribir la tarea   <u>Escribo la tarea cuidadosamente.</u>

_____

_____

_____

GRAMÁTICA C

ACTIVIDAD 1 ¡Sorpresa!

Tú y tus compañeros están planeando una fiesta sorpresa para la maestra. ¿Qué deben hacer? *(Hint: Say what people should do and how.)*

> **modelo:** yo / ordenar la clase / rápido
> <u>Yo debo ordenar la clase rápidamente.</u>

1. Carlos / preparar las tapas / lento _____

2. nosotros / invitar a todos / secreto _____

3. tú / buscar un regalo / cuidadoso _____

4. todos / esperar / paciente _____

ACTIVIDAD 2 En el restaurante

Llevas a tu hermanita por primera vez a un restaurante. Dile cuatro cosas que ella debe hacer en un restaurante. *(Hint: Tell your little sister four things she should do in a restaurant.)*

1. _____

2. _____

3. _____

4. _____

ACTIVIDAD 3 ¿Fácilmente?

Haz una lista de cuatro actividades que te gusta hacer. Describe cómo haces cada una. Usa el modelo para empezar. *(Hint: Describe how you do four different activities.)*

> **modelo:** <u>Ando en bicicleta fácilmente.</u>

_____

_____

_____

_____

LECTURA A

> **Se alquila¹ — Casa con muebles**
> Sala con sofá, dos sillones, dos mesitas
> Cocina con mesa y cuatro sillas
> Dos baños
> Tres habitaciones cada una con cama, armario y mesita de noche
> Jardín

¹ for rent

¿Comprendiste?

1. ¿Cuántas camas hay en la casa? _____

2. En esta casa, ¿dónde tienes que comer? _____

3. ¿Qué muebles hay en la sala? _____

4. En esta casa, ¿dónde puedes poner la ropa? _____

Qué piensas?

1. En tu opinión, ¿es ésta una casa ideal? ¿Por qué? _____
_____

2. ¿Qué piensas que necesita esta casa para ser la casa perfecta? _____
_____

LECTURA B

LA BARRACA
Reina, 29 Tel: 532 71 54 (Metro: Gran Vía)
Cocina clásica valenciana

POSADA DE LA VILLA
Cava Baja, 9 Tel: 366 18 60 (Metro: Latina)
*Cocina castellana y madrileña. Cerrado los
domingos por la noche y del 15 de julio al 15 de
agosto.*

RESTAURANTE L'ALBUFERA
Capitán Haya, 43 Tel: 531 28 57 (Metro: Cuzco)
Carnes a la parrilla y pescados[1]

RESTAURANTE TERRAZA GOYA
Plaza de la Libertad, 5 Tel: 567 51 97 (Metro:
Banco de España)
*Cocina española e internacional; ensaladas, platos
fríos, carnes y pescados.*

[1] fish

¿Comprendiste?

¿Es cierto o falso? *(Hint: True or false?)*

C   F   **1.** En Posada de la Villa sirven comida valenciana.

C   F   **2.** L'Albufera es un restaurante vegetariano.

C   F   **3.** Puedes ir en metro a todos estos restaurantes.

C   F   **4.** Mi cumpleaños es el 30 de julio; puedo celebrarlo en Posada de la Villa.

C   F   **5.** Sirven comida de otros países en el Restaurante Terraza Goya.

¿Qué piensas?

1. ¿Piensas que sirven tapas en estos restaurantes? ¿Por qué?

_____

2. ¿En cuál de los cuatro restaurantes te gustaría comer? ¿Por qué?

_____

ECTURA C

Receta

Ésta es una de las tapas más populares en España. Es muy fácil de preparar.

PATATAS CON MAYONESA DE AJO

Ingredientes
1/2 taza de mayonesa
5 patatas rojas grandes
3 dientes de ajo machacados[1]
2 cucharaditas[2] de perejil[3]
1 cucharadita de vinagre
sal al gusto[4]

Cómo prepararlo
Cocina las patatas y córtalas[5] en cubos pequeños. Combina todos los otros ingredientes en un tazón y luego pon las patatas en esta mezcla.

[1] minced cloves of garlic   [2] teaspoons   [3] parsley   [4] salt to taste   [5] cut them

¿Comprendiste?

¿Es cierto o falso? *(Hint: True or false?)*

C F **1.** No es necesario cocinar las patatas para esta receta.

C F **2.** Usas patatas amarillas para hacer esta receta.

C F **3.** Usas vinagre para preparar esta receta.

C F **4.** Puedes hacer esta receta sin ajo.

¿Qué piensas?

1. ¿Crees que puedes preparar esta receta tú solo(a) para una fiesta en tu casa? _____

_____

2. ¿Piensas que ésta es una buena receta? ¿Por qué? _____

_____

TPR STORYTELLING

Vocabulario

barre el suelo	el jamón	ordena las flores	pasa la aspiradora
prepara las tapas	la tortilla	saca la basura	quita el polvo
las aceitunas	española	mueven los muebles	

Mini-cuento: ¿La fiesta de quién?

Beth y su compañera de apartamento, Sandra, tienen planes para una fiesta, pero Beth va a llegar muy tarde y no puede ayudar con los preparativos. Ella llama a todos sus amigos para pedirles ayuda. Todos los amigos llegan temprano para preparar la fiesta. Fred barre el suelo de la cocina; Sandra prepara las tapas de aceitunas, jamón y tortilla española. Peggy ordena las flores y Larry saca la basura. Luego los amigos limpian la sala; Peggy y Larry mueven los muebles, Fred pasa la aspiradora y Sandra quita el polvo. Más tarde, los invitados bailan, hablan y comen. Beth llega a la casa al fin de la fiesta. Algunos invitados se van. Sus amigos ponen los muebles en orden y limpian la casa. Entonces, Beth dice: —¡Qué buena celebración! ¡Voy a hacer otra fiesta en octubre pero la próxima vez quiero llegar a tiempo!

VOCABULARIO

 1 **¿Qué es?**

Completa las siguientes oraciones usando estas palabras. (*Hint: Complete the sentences using the following words.*)

luz	estufa	frigorífico	horno

1. La leche está en el _____.

2. Preparo las verduras en la _____.

3. Uso el _____ para hacer el pan.

4. Apaga la _____ del cuarto de Gabi.

2 **¿Cierto o falso?**

Di si la información de las siguientes oraciones es cierta o falsa. (*Hint: Tell if the following information is true or false.*)

C F **1.** El helado es un postre.

C F **2.** La carne de res es más cara que la leche.

C F **3.** Muchas personas le ponen azúcar a las patatas.

C F **4.** En las ensaladas hay muchas verduras.

3 **¡Fiesta!**

Tus padres invitan a unos amigos a cenar. Van a servir una ensalada, carne, verduras y un postre. Haz una lista de lo que necesitas comprar. (*Hint: Make a list of what you need to buy for your parents' dinner party.*)

    modelo: para la ensalada, lechuga…

    para la carne _____

    para la ensalada _____

    para las verduras _____

    para el postre_____

Unidad 5
Etapa 3

Actividades para todos
VOCABULARIO

A

VOCABULARIO

ACTIVIDAD 1 ¿Qué cantidad?

Completa las oraciones usando las siguientes palabras. *(Hint: Complete the sentences with the appropiate word.)*

> litros   docena   kilo   paquete

1. Hay una _____ de huevos en el frigorífico.

2. El _____ de galletas cuesta cuatrocientas pesetas.

3. Necesito un _____ de azúcar.

4. Quisiera dos _____ de aceite.

ACTIVIDAD 2 ¡A cocinar!

Di qué ingredientes necesitas para preparar lo siguiente. *(Hint: Tell what ingredients you need to prepare the following.)*

1. galletas _____

2. patatas alioli _____

3. ensalada _____

4. tu sándwich favorito _____

ACTIVIDAD 3 ¡Fiesta!

Quieres tener una fiesta de cumpleaños para una amiga, pero es una sorpresa. Haz una lista de los amigos que te ayudan y una lista de la comida que necesitas. Luego, escribe lo que cada persona debe llevar a la fiesta. *(Hint: Tell what each friend should bring to the party.)*

_____

_____

_____

_____

_____

VOCABULARIO

ACTIVIDAD 1 Muy diferente

Cambia las palabras subrayadas por otra palabra. *(Hint: Write what your friend said.)*

modelo: Tú: Necesitamos una <u>botella</u> de leche.
Tu amiga: <u>Necesitamos una lata de leche.</u>

1. Tú: Para la cena, vamos a comer <u>la carne de res.</u>

Tu amiga: _____

2. Tú: Para el desayuno quiero <u>el cereal</u>.

Tu amiga: _____

3. Tú: Pasta con salsa de <u>crema</u> es muy sabrosa.

Tu amiga: _____

ACTIVIDAD 2 Para la fiesta escolar

Necesitas cincuenta más de cada cosa que compraste. Di cuánto necesitas. *(Hint: Correct the quantities.)*

Compré ochocientas setenta y cinco botellas de refrescos.

1. _____

También tengo cuatrocientas sesenta latas de zumo.

2. _____

Y compré seiscientas ochenta galletas.

3. _____

Finalmente tengo noventa y cinco cajas de helado.

4. _____

ACTIVIDAD 3 Ir de compras

Tonio y Ángela hacen planes para una fiesta. Escribe quién va a comprar qué. *(Hint: Write a dialog between Tonio and Ángela.)*

_____

_____

_____

GRAMÁTICA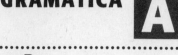

 ACTIVIDAD 1 ¿Qué llevaron?

Usa como pista lo que le gustó a cada persona y escribe lo que llevó a la fiesta. *(Hint: Tell what each person brought.)*

1. A Alicia le gustó la música. _____

2. A mí me gustó la película. _____

3. A Josefa y a Juan les gustó la comida mexicana. _____

4. Nos gustaron los postres. _____

 ACTIVIDAD 2 ¿Quién lo hizo?

Tú y tus amigos decidieron sorprender a tu mamá. ¡Limpiaron toda la casa! Di lo que hizo cada persona. *(Hint: Tell who did which chore.)*

1. Mariana (pasar la aspiradora) _____

2. yo (sacar la basura) _____

3. Felipe y Ana (quitar el polvo) _____

4. Enrique y yo (lavar los platos) _____

 ACTIVIDAD 3 Una fiesta

Usa las siguientes palabras para expresar lo que es **lo mejor** y **lo peor**. *(Hint: Use superlatives.)*

> mayor/menor   fácil/difícil   divertido(a)/aburrido(a)
> mejor/peor   bonito(a)/feo(a)

modelo: clase <u>Para mí, la clase de matemáticas es la más difícil.</u>

1. libro _____

2. actor / actriz _____

3. deporte _____

4. película _____

GRAMÁTICA B

ACTIVIDAD 1 ¿Cuál es la pregunta?

Escribe las preguntas que le corresponden a las siguientes respuestas. *(Hint: Write questions for the following answers.)*

1. ¿_____? Lavé los platos a la una.

2. ¿_____? Ella cocinó un pollo con verduras.

3. ¿_____? Ellos invitaron a todos sus amigos.

4. ¿_____? Terminamos el semestre en diciembre.

ACTIVIDAD 2 Anoche

Las siguientes personas usualmente hacen las mismas cosas, pero anoche fue diferente. Expresa esto usando el pretérito. *(Hint: Say that the following people did not do what they usually do.)*

1. Usualmente Ricardo estudia por tres horas, pero anoche _____ por cinco horas porque tiene un examen.

2. Yo toco la guitarra, pero anoche _____ el piano.

3. Mis padres y yo tomamos leche con la cena, pero anoche _____ limonada.

4. Mi hermana se ducha a las siete, pero anoche _____ a las ocho y media.

ACTIVIDAD 3 En el mercado

Escribe un párrafo corto comparando a tus amigos usando expresiones como **el más, el menos, la más, la menos, los más, los menos.** *(Hint: Compare your friends using superlatives.)*

modelo: Mariela es la más cómica.

_____
_____
_____
_____
_____

GRAMÁTICA C

ACTIVIDAD 1 Mi rutina

Escribe cuatro cosas que hiciste ayer después de levantarte. Usa los siguientes verbos: **lavarse, usar, escuchar, preparar**. *(Hint: Write four things you did yesterday.)*

_____

_____

_____

_____

ACTIVIDAD 2 Los tres hermanos

Compara los tres hermanos. *(Hint: Compare the three brothers.)*

   modelo: <u>Arturo es el más delgado.</u>

   Samuel   Ricardo   Arturo

_____

_____

_____

ACTIVIDAD 3 Una cena fabulosa

Anoche preparaste una cena para tu familia. Describe tus preparativos. Usa el pretérito de estos verbos y otros que conoces: **sacar, empezar, llegar**. *(Hint: Describe your dinner preparations.)*

_____

_____

_____

_____

LECTURA A

TIENDA ELECTRODOMÉSTICOS

¡TODO SE VENDE A UN DESCUENTO!

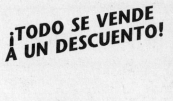

73.500 pesetas

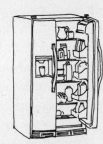

58.500 pesetas

36.750 pesetas

44.250 pesetas

29.250 pesetas

26.250 pesetas

¿Comprendiste?

1. ¿Cuánto cuesta un microondas? _____

2. ¿Cuánto cuesta una estufa?_____

3. ¿Cuánto cuesta un frigorífico? _____

4. ¿Qué puedes comprar por 30.000 pesetas?_____

¿Qué piensas?

1. En tu opinión, ¿cuál de estos aparatos es el más necesario? ¿Por qué? _____

_____

2. El anuncio sólo menciona los precios de los aparatos. ¿Qué otra información te

gustaría tener? _____

LECTURA

Querida Carla:

Estoy feliz en Chicago. La familia con quien vivo es amable y me
ayuda en todo. La ciudad es muy bonita y el transporte es muy
bueno. Mi único problema es la comida. Aquí siempre sirven cereal
en el desayuno, un sándwich de jamón en el almuerzo y pasta en la
noche. Recuerdo mis desayunos de huevos con cebolla y tomate, mi
zumo de naranja y zanahoria en el almuerzo, mi pescado con
verduras para la cena, y me da más hambre. Aquí usan el
microondas para todo. El puerco no es caro pero la gente no lo
cocina mucho. ¡Ya sé por qué los restaurantes de comida rápida
son tan populares aquí!

Un beso,
Patricia

¿Comprendiste?

¿Es cierto o falso? *(Hint: True or false?)*

C F **1.** Patricia piensa que Chicago es una ciudad bonita con un buen sistema de
transporte.

C F **2.** A Patricia le gusta mucho la comida de la familia con quien vive.

C F **3.** Patricia dice que la gente en Estados Unidos no usa mucho el microondas.

C F **4.** Patricia dice que el puerco es muy popular en Estados Unidos.

¿Qué piensas?

1. ¿Por qué crees que la familia con quien vive Patricia siempre sirve este tipo de

comida? _____

_____

2. ¿Por qué crees que usan el microondas para todo en Estados Unidos? _____

_____

LECTURA C

....

Hay fiesta esta noche, y los amigos de Anita tienen que traer comidas y otras cosas a su casa. Lee lo que cada amigo(a) va a traer y contesta las preguntas. *(Hint: Read what people are bringing to the party, and then answer the questions.)*

DIEGO: Trae un kilo de patatas y una docena de huevos. Vamos a hacer una tortilla española.

ESTELA: Trae un pescado y unas cebollas. A Anita le gusta comer pescado.

VERÓNICA: Trae la carne de res, el puerco y cinco salchichas. La semana pasada olvidaste traer comida, pero esta vez no.

PATRICIO: Trae dos litros de zumo. ¡No traigas zumo de tomate, por favor! A nadie le gusta el zumo de tomate. Si quieres, debes traer zumo de zanahoria. ¡Qué sabroso!

ANDREA Y FELIPE: Traigan galletas de chocolate, helado y yogur de frutas. Las fiestas siempre necesitan postres. Y también un litro de leche.

¿Comprendiste?

1. ¿Para quién es la fiesta? _____

2. ¿Quién tiene que traer los huevos? _____

3. ¿A quién le gusta el zumo de tomate? _____

4. ¿Qué tipos de carne van a servir? _____

¿Qué piensas?

1. ¿Cuál es la diferencia entre la comida de esta fiesta y la comida de otras fiestas

que conoces? _____

2. ¿Prefieres la comida de esta fiesta o la comida típica de las fiestas en Estados

Unidos? ¿Por qué? _____

Unidad 5
Etapa 3

Actividades para todos
LECTURA

C

TPR STORYTELLING

Vocabulario

¡Cállate!	el frigorífico	la estufa	los huevos	la leche
cocinar	el aceite	el yogur	las salchichas	sabroso
la mantequilla	el microondas	el zumo		

¡Qué sabroso!

Mini-cuento: Una sorpresa para mamá

Cristina y su hermana Beatriz preparan el desayuno para su mamá. Van a la cocina en secreto y en silencio, porque es una sorpresa. Beatriz le habla en voz fuerte a Cristina: «¡Vamos a hacer huevos!», pero Cristina le dice: «¡Cállate!» Empiezan a cocinar los huevos, pero no hay mantequilla en el frigorífico. Tienen que usar el aceite. Luego Beatriz quiere poner los huevos en el microondas. Cristina dice que deben cocinar los huevos en la estufa. Por fin tienen todo preparado; el yogur, el zumo de naranja, los huevos, las salchichas, el café y la leche. Las dos chicas le presentan el desayuno a su mamá. Ella exclama: «¡Qué sabroso!» Las chicas están muy contentas. No saben que también su mamá está pensando: «¡Mis hijas son muy simpáticas, pero no puedo imaginar cómo está la cocina!»

VOCABULARIO A

 1 Las profesiones

Identifica cada profesión según el dibujo. *(Hint: Identify each profession.)*

_____ _____ _____ _____

 2 Saludos desde Quito

Julián escribe una carta desde Quito. Completa las oraciones usando las siguientes palabras: **antiguos, lujosas, moderna, sencillo, enorme.** *(Hint: Complete the sentences.)*

Hola, mamá.

Te mando saludos desde Quito. Esta ciudad es _____, ¡por poco me pierdo! Esta mañana voy al Quito Colonial a ver unos edificios muy _____. Luego quiero ver la parte _____ de la ciudad, donde hay muchas tiendas _____. Quiero comprar un suéter para ti. Me imagino que prefieres un suéter _____ porque sé que a ti no te gusta la ropa lujosa.

Abrazos,

Julián

3 ¿Qué pasó?

En Guayaquil llovió toda la noche y un árbol se cayó sobre un edificio antiguo. Un arquitecto, un bombero, un fotógrafo y un periodista llegaron después del accidente. Escribe lo que hicieron. Puedes usar estos verbos: **mirar, sacar, escuchar, hablar, ayudar, buscar, contestar.** *(Hint: Write what happened after a tree fell on an old building.)*

modelo: El bombero entró primero al edificio.

_____

_____

_____

Nombre _____ Clase _____ Fecha _____

VOCABULARIO

••

ACTIVIDAD 1 ¿Quién es?

Lee lo que hace cada persona. Escribe la profesión. *(Hint: Write the profession.)*

1. Usa una cámara. _____

2. Lleva a la gente al aeropuerto en su carro. _____

3. Escribe cartas para su jefa en la oficina. _____

4. Trabaja con los números. _____

5. Lleva cartas, paquetes y otra información a tu casa. _____

ACTIVIDAD 2 Al contrario

Lee la descripción de mi ciudad. Di que tu ciudad es completamente diferente.
(Hint: Say that your city is the opposite of mine.)

1. Las calles de mi ciudad son anchas. Las calles de tu ciudad son _____.

2. Vivo en un edificio antiguo. Vives en un edificio _____.

3. La plaza de mi ciudad es pequeña. La plaza de tu ciudad es _____.

4. Mi casa es sencilla. Tu casa es _____.

ACTIVIDAD 3 Soy periodista

Imagínate que eres periodista y que le vas a hacer una entrevista a un(a) arquitecto(a).
Escribe cuatro preguntas para la entrevista. Usa las siguientes palabras o escoge otras
palabras. *(Hint: Write questions for an interview.)*

> sencillo(a)   antiguo(a)   lujoso(a)   enorme

1. _____

2. _____

3. _____

4. _____

VOCABULARIO

ACTIVIDAD 1 ¿Cierto o falso?

Lee cada oración. Si la oración es cierta, marca con un círculo la **C**. Si la oración es falsa, marca con un círculo la **F**. *(Hint: Mark true or false.)*

C F   **1.** El bombero usa una cámara.

C F   **2.** La taxista trabaja en un banco.

C F   **3.** Un hombre de negocios normalmente habla por teléfono.

C F   **4.** La contadora necesita una calculadora para su trabajo.

C F   **5.** El arquitecto trabaja en una farmacia.

ACTIVIDAD 2 Descríbelo

Describe cada escena usando los dibujos como pistas. *(Hint: Describe the scenes.)*

_____ _____ _____ _____

ACTIVIDAD 3 La postal

Imagina que estás de vacaciones en Quito y que estás escribiendo una postal para tu primo Jorge. Usa el vocabulario de esta etapa. *(Hint: Write a postcard from Quito.)*

modelo: Quito es una ciudad muy bonita.

_____

_____

_____

_____

_____

_____

_____

GRAMÁTICA

....

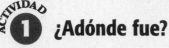 ¿Adónde fue?

Completa cada oración con el pretérito del verbo **ir**. *(Hint: Use the preterite of **ir**.)*

1. Yo _____ a la farmacia y compré aspirinas.

2. Josefina _____ a la panadería y compró una torta.

3. Mis abuelos _____ a la biblioteca y leyeron unos libros.

4. Tú _____ a tu cuarto y escuchaste un nuevo disco compacto.

5. Nosotros _____ al correo y mandamos una carta.

2 Hoy y ayer

Completa las oraciones usando el pretérito del verbo. *(Hint: Use the preterite.)*

1. Hoy voy a beber este refresco porque ayer no lo _____

2. Hoy vamos a oír música de Mozart porque ayer no la_____

3. Hoy vas a salir porque ayer no _____

4. Hoy tienen que barrer el suelo porque ayer no lo _____

5. Hoy Roberto quiere vender los muebles porque ayer no los _____

3 ¿Qué hizo?

Explica lo que hizo cada persona. Sigue el modelo. *(Hint: Tell what each person did.)*

modelo: ayer / la mujer de negocios / comer / oficina
<u>Ayer la mujer de negocios comió en la oficina.</u>

1. el lunes / la estudiante / leer / una revista _____

_____

2. la semana pasada / los periodistas / escribir / artículos _____

_____

3. el mes pasado / el arquitecto / hacer / un plano _____

_____

4. anoche / las fotógrafas / compartir / fotos _____

_____

GRAMÁTICA B

1 ¿Qué pasó?

Di lo que hizo Elena anoche. Usa el pretérito. *(Hint: Use the preterite.)*

Elena (ir) _____ a la biblioteca. (Abrir) _____ un libro

sobre la historia de Ecuador. (Leer) _____ el libro, (aprender)

_____ y luego (escribir) _____ sobre la historia antigua de

Ecuador. (Recibir) _____ una buena nota por el trabajo.

2 ¿Qué hicimos?

Hoy es lunes pero Luis piensa que es domingo. Lee lo que dice y cambia cada oración al pasado. *(Hint: Change the sentences using the preterite.)*

1. Carmen y Marta van a leer el periódico. _____

2. Tú vas a hacer ejercicio. _____

3. Miguel y Verónica van a ir al museo. _____

4. Pedro y yo vamos a salir con sus padres. _____

5. Andrés va a vender su carro. _____

3 ¿Qué hiciste?

Escribe cinco oraciones sobre lo que hiciste la semana pasada. Usa los siguientes verbos. *(Hint: Write about what you did last week.)*

comer	escribir	ir	leer	compartir	aprender	salir

1. _____

2. _____

3. _____

4. _____

5. _____

GRAMÁTICA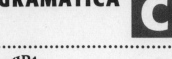

 **La semana pasada**

Según los dibujos, describe lo que hicieron las siguientes personas. Usa los verbos **comer, correr, escribir** y **salir**. *(Hint: Write about each drawing.)*

  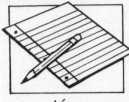 

los estudiantes _____   Verónica _____   tú _____   nosotros _____

2 **Luis tiene miedo**

Luis tiene una experiencia en el bosque que le da mucho miedo. Cuéntala en el pasado *(Hint: Use the preterite to retell the story.)*

Luis va a un campamento de verano. Una noche oye un ruido extraño. No ve nada. Entonces decide correr. Cree que es un animal peligroso, pero sólo es el viento.

_____

_____

_____

_____

_____

3 **¿Qué hicieron este año?**

Escribe un párrafo sobre las cosas que tú y tus amigos hicieron en la escuela este año. Usa los siguientes verbos en el pretérito: **aprender, escribir, leer, oír, ir, hacer, salir.** *(Hint: Write about this school year.)*

modelo: Este año mis amigos y yo aprendimos español.

_____

_____

_____

_____

LECTURA A

ARQUITECTOS MEDINA

Hacemos planos para todo tipo de edificios:
Edificios enormes
Edificios pequeños
Tiendas modernas
Casas sencillas
Hoteles lujosos

Si quieres un plano para un edificio,
te lo podemos hacer.
Solamente llámanos al 555-8880.

**ARQUITECTOS MEDINA
SOMOS LOS JEFES DE LA ARQUITECTURA**

¿Comprendiste?

1. ¿Qué hace la compañía Arquitectos Medina? _____

2. ¿Qué tipos de edificios hace la compañía? _____

3. ¿Qué tipos de tiendas hace la compañía? _____

4. ¿Qué tipos de hoteles hace la compañía? _____

¿Qué piensas?

1. ¿Qué crees que significa «Somos los jefes de la arquitectura»? _____

_____

2. ¿Te gustan las casas sencillas o las casas lujosas? ¿Por qué? _____

_____

3. ¿Crees que la compañía Arquitectos Medina es grande o pequeña? ¿Por qué?

_____

_____

LECTURA B

> ¡Hola, Enrique!
> Saludos desde Ecuador. Ayer fuimos en tren hacia la costa. El viaje fue magnífico y la gente muy simpática. Salí a nadar por primera vez durante mi viaje a Ecuador.
>   El fin de semana pasado, mi familia y yo fuimos al Parque Nacional Cotopaxi. El parque está a sólo media hora de Quito. En este lugar vimos el volcán Cotopaxi. En el parque hay noventa especies diferentes de pájaros. También, en Cotopaxi puedes andar en bicicleta y acampar. Decidí sacar muchas fotos para compartir contigo. ¡Hasta pronto!
>
>   Tu amigo,
>   Luis

¿Comprendiste?

Según la lectura, ¿es cierto o falso? (Hint: True or false?)

C F **1.** Luis fue a la costa en autobús.

C F **2.** Luis salió a nadar todos los días durante su visita a Ecuador.

C F **3.** A Luis no le gustaron los ecuatorianos.

C F **4.** Hay muchos pájaros en el Parque Nacional Cotopaxi.

¿Qué piensas?

1. ¿Te gustaría visitar el Parque Nacional Cotopaxi? ¿Por qué? _____

_____

_____

2. ¿Qué puedes hacer en las montañas y las costas de Ecuador? _____

_____

_____

_____

LECTURA C

La Compañía Estrella

La Compañía Estrella busca:

Editores Si puedes editar artículos y te gusta leer, entonces trabaja con nosotros. Se buscan tres editores para nuestra revista de deportes. Favor de llamar al 555-4322 y hablar con la recepcionista del departamento.

Gerentes ¿Te gusta trabajar con otras personas? Se buscan dos gerentes para nuestro departamento de deportes. Favor de escribir una carta al señor Estrella, nuestro jefe.

Operadores Todo el mundo nos llama. ¡Ayer recibimos más de cien llamadas! Necesitamos ayuda. Si te gusta hablar por teléfono y contestar llamadas, favor de llamar a la señora Díaz, nuestra gerente de operadores.

Escritores ¿Te gusta el fútbol? Necesitamos cuatro escritores para nuestro periódico de fútbol. Si quieres escribir todos los días este año, tenemos trabajo para ti. Favor de hablar con la señora Alvarado, nuestra editora de fútbol.

Fotógrafos Ya empiezan los partidos de baloncesto y necesitamos tres personas para sacar fotos de todos los partidos. Si puedes sacar fotos, favor de visitar nuestro departamento de fotografía y hablar con el señor Flores, el gerente. Trae tu cámara.

¿Comprendiste?

1. ¿Cuántos gerentes necesita el departamento de deportes? _____

2. Si quieres ser operador(a), ¿a quién debes llamar? _____

3. Si eres escritor(a), ¿sobre qué vas a escribir? _____

4. ¿Qué debes traer si quieres hablar con el señor Flores? _____

¿Qué piensas?

1. ¿Cuál de estas profesiones te gusta más? ¿Por qué? _____

_____

2. ¿Cuál no te gusta? ¿Por qué? _____

_____

Nombre Clase Fecha

TPR STORYTELLING

Vocabulario

enorme moderna el hombre de negocios
el edificio lujoso el fotógrafo
el bombero

Mini-cuento: Los sueños de Paco

Paco y Gregorio están estudiando para un examen en casa de Paco, pero Gregorio ve que Paco no está estudiando. Está pensando en qué profesión quiere tener. Le gustaría ser un hombre de negocios con una oficina en un edificio enorme. Le gustaría tener un carro lujoso y vivir en una casa moderna. Ya no quiere ser bombero porque no le gusta levantarse a todas horas. No puede ser fotógrafo porque siempre saca malas notas en l clase de arte.

—Verdaderamente tienes una imaginación fabulosa —dice Gregorio—. Y vas a necesitarla... ¡para sacar una buena nota en nuestro examen de historia mañana!

VOCABULARIO A

1 La cola

Mira el dibujo. Luego escoge la palabra que completa la oración. *(Hint: Choose the correct word.)*

1. Rafael es el (primero/segundo).

2. Luisa es la (tercera/quinta).

3. Alicia es la (primera/cuarta).

4. José es el (segundo/quinto).

5. Marta es la (tercera/cuarta).

2 En la granja

Traza una línea entre el animal y la actividad correspondiente. *(Hint: Match the columns.)*

el gallo	pone huevos
el caballo	da leche
la gallina	canta muy temprano
la vaca	lleva al ganadero en el campo

3 Veo, veo

Escribe cinco cosas que ves en una granja. Usa el vocabulario de esta etapa. *(Hint: Write about what you see at a farm.)*

modelo: Veo un corral en la granja.

1. _____

2. _____

3. _____

4. _____

5. _____

VOCABULARIO B

ACTIVIDAD 1 ¿Dónde está?

Mira el dibujo. Luego lee las oraciones y di si son **ciertas** o **falsas**. *(Hint: Tell if the sentences are true or false.)*

C F **1.** Hay un tenedor encima de la mesa.

C F **2.** Hay un cuchillo al lado de la taza.

C F **3.** Hay una cuchara sobre el plato.

C F **4.** Hay una taza debajo de la mesa.

ACTIVIDAD 2 Es mejor así

Vas de compras con una amiga. Te dice qué necesita comprar y tú le das consejos usando palabras como **este, estas, esta** y **estos**. *(Hint: Tell your friend to buy clothes.)*

Tu amiga dice:	Tú dices:
Necesito unos pantalones.	Compra _____ pantalones.
Necesito una camiseta.	Compra _____ camiseta.
Necesito un cinturón.	Compra _____ cinturón.
Necesito unas blusas.	Compra _____ blusas.

ACTIVIDAD 3 La carrera

Describe el orden en que terminaron la carrera. *(Hint: Describe the order of the race.)*

Miguel   Carlos   Catarina

_____

_____

_____

_____

VOCABULARIO

 ACTIVIDAD

1 ¿Dónde está el perro?

¿Dónde duerme el perro en cada dibujo? *(Hint: Tell where the dog is sleeping.)*

1. _____

2. _____

3. _____

4. _____

ACTIVIDAD

2 Este animal

Completa la oración usando las palabras **este, ese, aquella** o **aquellos**.
*(Hint: Complete the sentence using **este, ese, aquella,** or **aquellos.**)*

1. Mira el caballo que está delante de mí. Mira _____ caballo.

2. ¿Ves la llama que está lejos de nosotros? ¿Ves _____ llama?

3. ¿Te gusta el primer cerdo más que el segundo cerdo?

   ¿Te gusta _____ cerdo más que _____ cerdo?

4. ¿Ven los toros que andan por allá? ¿Ven _____ toros?

ACTIVIDAD

3 Un diálogo

Inventa un diálogo entre un ganadero y un pastor. Escoge las siguientes palabras o usa otras. *(Hint: Create a dialog between a farmer and a shepherd.)*

> estas llamas   aquellas llamas   el corral   la granja

_____

_____

_____

_____

GRAMÁTICA

ACTIVIDAD 1 Verbos

Escoge el verbo que mejor completa cada oración. *(Hint: Choose the correct verb.)*

1. La artesana me (dieron / dio) dos sacos.
2. Los ganaderos (tuve / tuvieron) que trabajar el sábado.
3. Nosotros (vinieron / vinimos) a la granja a ver los animales.
4. Yo le (dije / dijimos) la verdad a mi mamá.
5. Mario y Linda (estuvo / estuvieron) aquí ayer.

ACTIVIDAD 2 ¿Cuál(es)?

Usa una forma de **este, ese** o **aquel** con cada palabra. *(Hint: Use demonstrative adjectives.)*

este	ese	aquel
_____ caballo	_____ vacas	_____ llama
_____ gallos	_____ gallina	_____ toros
_____ cerca	_____ corral	_____ cerdo

ACTIVIDAD 3 El cuarto

Piensa en tu cuarto y escribe dónde están algunas cosas. Escribe oraciones con las siguientes palabras: **debajo, dentro, encima, fuera, abajo, arriba.** *(Hint: Use location words.)*

modelo: Los libros están encima del escritorio.

_____
_____
_____
_____
_____

GRAMÁTICA B

ACTIVIDAD 1 No es verdad

Todo lo que dice Manuel es incorrecto. Corrige sus oraciones, usando el opuesto de cada palabra subrayada. *(Hint: Write the opposite of the underlined word.)*

1. El caballo está <u>fuera</u> del corral. _____

2. Las gallinas están <u>encima</u> de la cerca. _____

3. La vaca está <u>abajo</u>. _____

4. Los cerdos están <u>cerca</u> del gallo. _____

ACTIVIDAD 2 Me gusta ése

Rafael dice que le gusta la ropa que tiene, pero tú prefieres otra ropa. Usa una forma de ése en tus respuestas. *(Hint: Say that you prefer other clothes.)*

1. Me gustan estos pantalones. _____

2. Me gusta mucho este cinturón. _____

3. Me gusta esta chaqueta también. _____

4. Me gustan estas camisetas. _____

ACTIVIDAD 3 La granja

Luisa visitó la granja de su abuelo las vacaciones pasadas. Describe las actividades que hizo, usando algunos de los siguientes verbos: **dar, decir, venir, tener, estar, hacer, ir.** *(Hint: Describe what Luisa did at her grandfather's farm.)*

modelo: <u>Luisa hizo un pastel para su abuelo.</u>

_____

_____

_____

_____

GRAMÁTICA C

ACTIVIDAD 1 ¿Quién ganó?

Tú y tus amigos participaron en un concurso. Escribe en qué orden terminaron el concurso. *(Hint: Tell in what order your friends finished the contest.)*

1. yo – 2 _____

2. Marta – 4 _____

3. Antonio – 3 _____

4. Carolina – 1 _____

5. Juan – 5 _____

ACTIVIDAD 2 A distancia

Estás en una granja y puedes ver muchos animales a distancia. Dile a un amigo lo que ves. Usa una forma de **aquel** en cada oración. *(Hint: Use demonstrative adjectives.)*

1. Mira _____ .

2. Mira _____ .

3. Mira _____ .

4. Mira _____ .

5. Mira _____ .

ACTIVIDAD 3 Excusas, excusas

Nadie va al cine contigo. Escribe lo que dijo cada persona que invitaste. Usa los siguientes verbos en el pretérito: **venir, decir, tener, estar**. *(Hint: Write excuses using the preterite.)*

modelo: Manuel dijo que tuvo práctica de béisbol.

_____

_____

_____

_____

LECTURA A

Se venden animales

Ofrecemos los mejores precios en la granja La Laguna. Vendemos todo tipo de ganado[1]: cerdos, vacas, gallinas, caballos, toros. También distribuimos leche, carne y huevos para tu tienda, restaurante o negocio. Tenemos servicio a domicilio[2]. Sólo llama al 937-293 o visítanos en Santa Rosa, en el kilómetro 33 de la carretera hacia Quito.

[1]cattle, livestock   [2]home delivery

¿Comprendiste?

Contesta cierto (C) o falso (F). *(Hint: True or false?)*

C F **1.** En la granja La Laguna venden perros.

C F **2.** Sólo puedes comprar el ganado en la granja La Laguna.

C F **3.** Aparte de ganado, también venden otros productos.

C F **4.** Puedes comprar leche y huevos por teléfono.

C F **5.** La granja está en Quito.

¿Qué piensas?

1. ¿Crees que los productos de la granja La Laguna son mejores que los productos de los supermercados? ¿Por qué? _____

_____

2. ¿Te gustaría visitar la granja La Laguna? ¿Por qué? _____

_____

LECTURA B

La llama

La llama es un animal originario de Sudamérica. Vive en las montañas. Es un animal muy importante para las personas que viven en las montañas. Es un animal muy trabajador, es fuerte y puede caminar por las montañas. Puede llevar cargas pesadas[1]. También es importante porque da leche. La llama da lana que se usa para hacer ropa.

[1]heavy loads

¿Comprendiste?

1. ¿De dónde es la llama? _____

2. ¿Dónde viven las llamas? _____

3. ¿Cómo es la llama? _____

4. ¿Qué productos da la llama? _____

¿Qué piensas?

1. ¿Piensas que las llamas ayudan a las personas? ¿Por qué? _____

_____

2. ¿Te gustaría tomar leche de llama? ¿Por qué? _____

_____

LECTURA C

Las artesanías... y más

Viajes de los Andes ofrece excursiones a ferias y mercados. Son grandes e interesantes. Puede ver muchos animales, productos y artesanías.

Hay de todo. Puede comprar flores, frutas y verduras al aire libre mientras oye los animales y los gritos de los vendedores que ofrecen sus productos.

Los pueblos tienen ferias en estos días de la semana.

domingo: Machachi, Cuenca, Salcedo, Santo Domingo de los Colorados
lunes: Ambato
martes: Otavalo, Guano
miércoles: Pujilí
jueves: Tulcán, Cuenca
sábados: Otavalo, Latacunga, Riobamba

¿Comprendiste?

1. ¿Cómo son los mercados? _____

_____

2. ¿Qué venden en los mercados? _____

_____

3. ¿Qué día(s) puedes ir al mercado en Cuenca? _____

_____

4. ¿Qué día(s) no hay mercado? _____

_____

¿Qué piensas?

1. ¿Te gustaría ir de compras a un mercado al aire libre? ¿Por qué? _____

_____

2. ¿Qué te gustaría comprar? _____

_____

TPR STORYTELLING

Vocabulario

el gallo	el caballo	la vaca	el ganadero
la gallina	la llama	el toro	la cerca
la granja	el cerdo	debajo de	

Mini-cuento: La carrera de animales

En la granja, el gallo y la gallina organizaron una carrera de animales. Una vaca, un toro, una llama, un cerdo y un caballo participaron. Al principio el toro estuvo al frente, pero cuando vio unas flores debajo de un árbol, se fue para comerlas. La vaca oyó al ganadero y como ella es muy obediente, regresó a la granja. Sólo el cerdo, la llama y el caballo continuaron. La llama fue la primera en llegar a la cerca, el caballo fue el segundo y el cerdo fue el tercero. La llama ganó una copia del video de «Babe».
—Es una película muy divertida, y no lo digo porque Babe es un cerdo —dijo el cerdo.
—Pero no es muy realista —dijo el caballo—¡porque en la película los animales hablan!

**Unidad 6
Etapa 2**

Actividades para todos
TPR STORYTELLING

VOCABULARIO

ACTIVIDAD 1 ¿Dónde?

Completa cada oración usando los dibujos como pistas. (*Hint: Use the pictures to complete each sentence.*)

1. Puedes comprar en la _____.

2. Puedes tomar un en el _____.

3. Puedes comprar en la _____.

4. Puedes comprar en la _____.

ACTIVIDAD 2 ¿Qué hacen?

Subraya la palabra que mejor completa cada oración. (*Hint: Choose the correct word.*)

1. El (bombero / contador) trabaja con los números.

2. El pastor cuida las (gallinas / llamas).

3. La artesana trabaja en un (hospital / taller).

4. El mesero te da (un guante / una limonada).

5. La jefa y el hombre de negocios están en (la granja / la oficina).

ACTIVIDAD 3 Me gusta

Escribe lo que te gusta hacer en estas circunstancias. (*Hint: Say what you like to do.*)

1. cuando estás en un restaurante _____

2. cuando estás en un gimnasio _____

3. cuando estás en la biblioteca _____

4. cuando estás en casa con tu familia _____

VOCABULARIO B

ACTIVIDAD 1 Los quehaceres

Identifica los quehaceres según los dibujos. (*Hint: Identify the chores.*)

1. _____ 2. _____ 3. _____ 4. _____

ACTIVIDAD 2 Categorías

¿Cuál de las palabras no debe estar con las demás? ¿Por qué? (*Hint: Choose the word that doesn't belong.*)

1. el armario, el sofá, las tapas, la mesa _____

2. el anillo, el collar, la plata, el casete _____

3. el fútbol, el invierno, el baloncesto, el tenis _____

4. la plaza, el taxi, el tren, el carro _____

5. el huevo, la galleta, la zanahoria, el paquete _____

ACTIVIDAD 3 ¡En forma!

Tu mejor amigo(a) quiere ponerse en forma. Dile cinco actividades que tiene que hacer. Usa vocabulario que aprendiste este año. (*Hint: Tell your friend five things to do to get in shape.*)

1. _____

2. _____

3. _____

4. _____

5. _____

VOCABULARIO

1 ¡Imagínate!

Lee lo que tiene cada persona e imagina lo que va a hacer. *(Hint: Write what you think each person is going to do.)*

1. Andrés tiene un cepillo de dientes. _____

2. Mis padres tienen un libro y un periódico. _____

3. Tengo un lápiz y papel. _____

4. Tenemos champú. _____

5. Mariana tiene una cámara. _____

2 ¿Qué van a hacer?

¿Qué puedes hacer en estos lugares? *(Hint: What can you do here?)*

1. el restaurante _____

2. la tienda de música y videos _____

3. el campo _____

4. el centro comercial _____

5. la sala _____

3 En el centro

Ayer fuiste al centro de la ciudad. Escribe un párrafo sobre lo que hiciste. Usa las siguientes palabras u otras palabras. *(Hint: Write about a visit to downtown.)*

> avenida   calle   autobús   taxi   a pie   esquina

_____
_____
_____
_____
_____

GRAMÁTICA

 1 Ya lo hizo

Completa el diálogo usando verbos en el pretérito. *(Hint: Complete the dialog, using the preterite tense.)*

Francisco: Vamos a escribir la composición para la clase de inglés.

Isabel: Ya la (escribir) _____. Vamos a leer la novela para la clase de literatura.

Francisco: Ya la (leer) _____. Vamos a comprar cuadernos para la clase de matemáticas.

Isabel: Ya los _____. Vamos a sacar fotos para la clase de arte.

Francisco: Ya las (sacar) _____.

Isabel: Entonces, ¡vamos al parque!

2 Consejos

Dile a un(a) compañero(a) de clase qué hacer para sacar una buena nota en la clase. *(Hint: Give a classmate advice.)*

1. estudiar cada noche _____

2. siempre hacer la tarea _____

3. hablar español en la clase _____

4. tomar un buen desayuno _____

3 Mañana

¿Qué van a hacer las siguientes personas mañana? Escribe cuatro oraciones usando las siguientes palabras. *(Hint: Write about four things people are going to do tomorrow.)*

modelo: yo / hablar/mi mamá

<u>Mañana voy a hablar con mi mamá.</u>

1. nosotros / ir / parque _____

2. mis padres / comer / restaurante _____

3. tú / cruzar / avenida _____

4. Diego / escuchar / música _____

Unidad 6
Etapa 3

Actividades para todos
GRAMÁTICA

A

GRAMÁTICA B

ACTIVIDAD 1 En el futuro

Lee lo que hicieron las siguientes personas y escribe lo que piensas que va a pasar después. *(Hint: Write what you think will happen.)*

1. José estudió cinco horas anoche. _____

2. Mi mamá compró lechuga, tomates y zanahorias. _____

3. Mis abuelos compraron libros sobre España. _____

4. Compré pasta de dientes y un nuevo cepillo. _____

ACTIVIDAD 2 Antes de salir

Tú quieres salir, pero tienes que hacer ciertas cosas primero. ¿Qué te dicen tus padres? Escribe cinco mandatos familiares. *(Hint: Write five familiar commands.)*

> hacer la cama   pasar la aspiradora   limpiar el cuarto
> lavar los platos   quitar la mesa

1. _____

2. _____

3. _____

4. _____

5. _____

ACTIVIDAD 3 Una entrevista

Un(a) compañero(a) te hace preguntas sobre las vacaciones. Contesta las preguntas usando palabras en el pretérito. *(Hint: Answer questions about a vacation.)*

1. ¿Adónde fuiste? _____

2. ¿Qué comiste? _____

3. ¿Qué hicieron tus padres? _____

4. ¿Qué viste? _____

GRAMÁTICA C

ACTIVIDAD 1 Consecuencias

Di lo que hizo la persona en cada situación. *(Hint: Tell what each person did, using the preterite tense.)*

1. Carlos sacó una buena nota en el examen porque _____ por tres horas anoche.

2. Yo sé lo que pasa en la novela porque _____ toda la novela anoche.

3. Carmen _____ a mi fiesta porque la invité.

4. Mi hermano y yo _____ al estadio para ver el partido de fútbol.

5. Mi madre _____ ejercicio anoche porque quiere ponerse en forma.

ACTIVIDAD 2 En este momento

Tú quieres muchas cosas, ¡pero tienes problemas! Completa cada oración. *(Hint: Complete each sentence.)*

> **modelo:** Voy a comprar la comida, pero mis amigos ya
>
> <u>están comprándola / la están comprando.</u>

1. Voy a leer el periódico, pero mi papá ya _____.

2. Voy a limpiar mi cuarto, pero mis hermanas ya _____.

3. Voy a ver la televisión, pero tú ya _____.

4. Voy a barrer el suelo, pero mi hermano ya _____.

5. Voy a lavar los platos, pero mis abuelos ya _____.

ACTIVIDAD 3 Te aconsejo

Como director(a) de la escuela, tienes que aconsejar al nuevo estudiante. Escribe cinco consejos para él. *(Hint: Write advice for a new student.)*

_____

_____

_____

_____

_____

LECTURA A

La ciudad y el campo

Lo que nos gusta de la ciudad

Los museos y las galerías de arte 5%

Las calles anchas 20%

Los restaurantes 45%

El centro comercial 30%

Lo que no nos gusta de la ciudad

Los aviones 5%

Hay mucha gente 5%

Está lejos del campo 10%

La contaminación del aire 50%

El tráfico 30%

Lo que nos gusta del campo

Los animales 20%

No hay contaminación del aire 35%

Las granjas 15%

No hay tráfico 30%

Lo que no nos gusta del campo

Los caminos malos 5%

No hay centro comercial 25%

No hay oportunidades profesionales 60%

No hay restaurantes 10%

¿Comprendiste?

1. ¿Qué es más popular en la ciudad, las calles anchas o el centro comercial? _____

_____

2. ¿Qué es más popular en el campo, ¿los animales o las granjas? _____

3. ¿Qué es lo peor de la ciudad?_____

4. ¿Qué es lo peor del campo? _____

¿Qué piensas?

1. ¿Estás de acuerdo con las razones mencionadas para no vivir en el campo? Explica.

_____

2. ¿Estás de acuerdo con las razones mencionadas para no vivir en la ciudad?

Explica. _____

LECTURA

Lee lo que escribió Inés en su diario durante su viaje a Ecuador.

> *lunes, 21 de junio*
> Mis amigos y yo llegamos a Quito. Visitamos la ciudad colonial.
>
> *martes, 22 de junio*
> Fuimos a la Plaza de la Independencia, a la Iglesia de San Francisco
> y al Museo Colonial. En el centro, vimos muchas calles estrechas.
>
> *miércoles, 23 de junio*
> Fuimos al Palacio de Gobierno, al Museo Camilo Egas y al Museo
> Municipal de Arte e Historia.
>
> *jueves, 24 de junio*
> Hoy visité la Casa de la Cultura Ecuatoriana por la mañana.
> Luego fuimos al Palacio Legislativo.
>
> *viernes, 25 de junio*
> Decidimos hacer un viaje al campo.
>
> *sábado, 26 de junio*
> Salimos de Quito y fuimos al aeropuerto. Vamos a regresar a Miami.

¿Comprendiste?

¿Es cierto o falso según la lectura? Corrige las oraciones falsas. *(Hint: True or false?)*

C F **1.** Inés pasó una semana en Quito. _____

C F **2.** Inés no tiene tiempo para ir al campo. _____

C F **3.** Pasó todo el tiempo en Quito. _____

C F **4.** Visitó un museo de arte el miércoles. _____

C F **5.** Volvió a Miami en barco. _____

¿Qué piensas?

1. ¿Prefieres ir a los museos de arte o a los museos de historia? ¿Por qué? _____

_____

2. ¿Dónde prefieres pasar las vacaciones? ¿Te gustaría visitar un país en Sudamérica?
¿Cuál? _____

_____

LECTURA C

Lee el discurso (speech) que Antonio escribió para su clase. Luego contesta las preguntas.

Adiós, amigos

Estimados amigos,

El primer día de clases fue una día nervioso para mí, y pienso que ustedes también tuvieron ganas de no ir a la escuela. Pero ahora me doy cuenta de que[1] este año aprendimos mucho. Claro, fuimos a nuestras clases y estudiamos las ciencias, las matemáticas, la historia, la literatura. Pero, este año aprendimos algo más, algo que no encontramos en la escuela. Nos conocimos y pasamos ratos alegres. ¿Recuerdan esa tarde en la cafetería cuando Ana tocó la guitarra y nosotros cantamos? ¿Recuerdan también el día que fuimos al parque y ayudamos a la gente a limpiar la basura? Por eso les digo que este año aprendimos algo más que no encontramos en la escuela.

Y ahora, ¿qué va a pasar? Bueno, vamos a disfrutar[2] del verano y descansar un poco. ¿Y yo? Pues, yo voy a recordar el año que tuve aquí con ustedes. Y voy a pensar en el nuevo año que vamos a tener pronto. ¡Gracias!

---

[1] realize   [2] enjoy

¿Comprendiste?

1. ¿Cómo fue el primer día de clases para Antonio? _____
_____

2. ¿Qué estudiaron Antonio y sus amigos este año? _____
_____

3. ¿Qué pasó en la cafetería? _____

4. ¿Qué pasó en el parque? _____

5. ¿Qué va a hacer Antonio este verano? _____

¿Qué piensas?

1. ¿Qué recuerdas del año pasado en la escuela? _____
_____

2. ¿Qué vas a hacer este verano? _____
_____

TPR STORYTELLING

Vocabulario

están hablando	dijo	fue	Vamos a...
está(n)	compró	dio	respondió
puede	cortó	va a tener	

Mini-cuento: Pobre Héctor

Es el primer día de vacaciones y Ana, Jaime y Cynthia están hablando en la playa. Ana quiere saber dónde está Héctor. Jaime responde que Héctor no puede venir. Los padres de Héctor están enojados con él. La semana pasada fue el cumpleaños de su mamá y él le dio flores, pero no las compró. Las cortó del jardín de su vecino, el señor Calvo. Por eso Héctor tiene que trabajar un mes en el jardín del señor Calvo. No va a tener un verano muy divertido.

—Pobrecito —dijo Ana—. Vamos a llevarle un helado.

—Buena idea —respondió Cynthia—, ¡pero después de nadar!

Etapa preliminar

¡HOLA! SOY DE... A

Actividad 1
llamas
Me
llamo
Mucho
gusto

Actividad 2
Cuba
Puerto Rico
República Dominicana

Actividad 3
Answers will vary. Possible answers:
Buenos días. Buenas tardes. Buenas noches. Hola.

¡HOLA! SOY DE... B

Actividad 1
1. Buenos días.
2. Buenas tardes.
3. Buenas noches.
4. Hola.
5. Buenos días.

Actividad 2
Answers will vary. Possible answers:
1. Venezuela
2. Puerto Rico, Paraguay, Panamá, Perú
3. Nicaragua
4. México
5. España, El Salvador, Ecuador

Actividad 3
1. La chica se llama Carmen.
2. El chico se llama Julio.
3. Me llamo...

¡HOLA! SOY DE... C

Actividad 1
Answers will vary. Possible answers:
Argentina, Bolivia, Chile, Colombia, Ecuador, Paraguay, Perú, Uruguay, Venezuela

Actividad 2
Answers will vary. Possible answers:
1. Carlos: Buenos días, Rosa. Rosa: Hola, Carlos.
2. Sr. Martín: Hola, Francisco. Francisco: Buenas tardes, señor Martín.

Actividad 3
Answers will vary.

¿QUÉ DÍA ES HOY? A

Actividad 1
1. m
2. p
3. b
4. h
5. r

Actividad 2
1. dos
2. seis
3. nueve
4. cuatro
5. diez

Actividad 3
1. unes

2. artes
3. iércoles
4. ueves
5. iernes
6. ábado
7. omingo

¿QUÉ DÍA ES HOY? B

Actividad 1
dos, cuatro, tres, siete, uno, nueve, seis

Actividad 2
1. lápiz
2. mano
3. libros
4. tarea
5. despacio

Actividad 3
1. miércoles
2. jueves
3. martes
4. viernes

¿QUÉ DÍA ES HOY? C

Actividad 1
1. ge
2. u
3. miércoles
4. viernes
5. seis

Actividad 2
1. Levanten la mano.
2. Miren el pizarrón.
3. Saquen un lápiz.
4. Abran los libros.

Actividad 3
1. martes
2. jueves
3. Mi maestro(a) se llama...
4. Mi teléfono es...

Unidad 1

Etapa 1

VOCABULARIO A

Actividad 1
1. Estoy bien, gracias.
2. te
3. está usted
4. De nada.

Actividad 2
Le presento
doctora
amiga
Encantado
No muy bien

Actividad 3
Answers will vary.

VOCABULARIO B

Actividad 1
—Hola, me llamo Tomás Durán. Soy de Puerto Rico. ¿Y tú, cómo te llamas?
—Me llamo María Peralta.
—Mucho gusto, María. ¿Qué tal?
—Estoy bien, ¿y tú?
—Regular.

Actividad 2
Le gusta cantar.
Le gusta leer.
Le gusta patinar.
Le gusta nadar.

Actividad 3
Answers will vary.

VOCABULARIO C

Actividad 1
chico/muchacho
apartamento
patinar
señora/mujer
trabajar
señor/hombre
leer
escuchar

Actividad 2
1. policía
2. familia
3. mujer
4. muchacho

Actividad 3
Answers will vary.

GRAMÁTICA A

Actividad 1
1. es
2. son
3. eres
4. somos
5. soy

Actividad 2
1. Ella
2. Ustedes
3. Nosotros
4. Yo
5. Tú

Actividad 3
Answers will vary.

GRAMÁTICA B

Actividad 1
1. ¿El maestro es de Santiago?
2. ¿Tú eres de Madrid?
3. ¿Ellas son de Buenos Aires?
4. ¿Usted es de Caracas?

Actividad 2
vive en una casa
le gusta.../no le gusta
correr y nadar
estudiante
es de...

Actividad 3
Answers will vary.

GRAMÁTICA C

Actividad 1
1. Ellas son de Barcelona (España).
2. Francisco es de Lima (Perú).
3. Yo soy de Buenos Aires (Argentina).
4. Nosotros somos de Bogotá (Colombia).

Actividad 2
1. Elisa y Patricia son de Puerto Rico y son estudiantes.
2. El señor Vargas es mi profesor de español.
3. Miguel y Esteban son policías.

Actividad 3
Answers will vary.

Actividad 3
Answers will vary.

VOCABULARIO C

Actividad 1
chico/muchacho
apartamento
patinar
señora/mujer
trabajar
señor/hombre
leer
escuchar

LECTURA A

¿Comprendiste?
1. Vicente Vásquez
2. nadar y patinar
3. Miami, Florida
4. 305-858-1161

¿Qué piensas?
Answers will vary.

LECTURA B

¿Comprendiste?
1. Elena Martínez
2. correr, nadar
3. Florida
4. bailar

¿Qué piensas?
Answers will vary.

LECTURA C

¿Comprendiste?
1. No
2. Sí
3. No sé.
4. No sé.
5. No

¿Qué piensas?
Answers will vary.

Etapa 2

VOCABULARIO A

Actividad 1
1. bajo
2. pequeño
3. perezoso
4. serio
5. feo

Actividad 2
1. amarillo
2. anaranjado
3. verde
4. blanco

Actividad 3
Answers will vary.

VOCABULARIO B

Actividad 1
Guillermo: una chaqueta, un suéter, unos pantalones
Lucinda: una camiseta, unos pantalones

Actividad 2
Mi amiga Julia es baja. Es muy perezosa.
Tiene el pelo corto. Es aburrida y seria.

Actividad 3
Answers will vary.

VOCABULARIO C

Actividad 1
Answers will vary. Possible answers:
1. paciente, seria
2. cómico, divertido
3. aburrido, perezoso
4. inteligente, trabajadora, seria

Actividad 2
Answers will vary.

Actividad 3
Answers will vary.

GRAMÁTICA A

Actividad 1
unas camisas
un suéter
unos pantalones
unos zapatos
unos calcetines
una camiseta
unos jeans

Actividad 2
Graciela/Graciela es...
Raúl/Raúl es...
Raúl/Raúl es...
Graciela/Graciela es...

Actividad 3
Answers will vary.

GRAMÁTICA B

Actividad 1
unos
una
unos
unos
un

Actividad 2
1. bonita
2. fuertes
3. alto
4. pacientes

Actividad 3
Answers will vary.

GRAMÁTICA C

Actividad 1
Alma y Graciela no son
   trabajadoras, son
   perezosas.
El señor García no es aburrido,
   es interesante/divertido.
David y Francisco no son feos,
   son guapos.
Josefina no es grande, es
   pequeña.

Actividad 2
Answers will vary. Possible
   answer:
   El chico lleva una camiseta
   roja, unos jeans y unos
   zapatos marrones. La chica
   lleva una blusa blanca y
   negra, una falda negra,
   zapatos blancos y una
   bolsa blanca.

Actividad 3
Answers will vary.

LECTURA A

¿Comprendiste?
1. Falso
2. Falso
3. Cierto
4. Cierto

¿Qué piensas?
Answers will vary.

LECTURA B

¿Comprendiste?
María
Raúl
both of them
both of them
María

¿Qué piensas?
Answers will vary.

LECTURA C

¿Comprendiste?
1. Cierto
2. Falso
3. Cierto
4. Falso

¿Qué piensas?
Answers will vary.

Etapa 3

VOCABULARIO A

Actividad 1
1. No es cierto
2. Cierto
3. No es cierto
4. No es cierto
5. Cierto

Actividad 2
1. catorce
2. cincuenta y ocho
3. veintiséis
4. cuarenta y tres
5. noventa y siete

Actividad 3
Answers will vary.

VOCABULARIO B

Actividad 1
1. mi abuelo
2. mi tía
3. mi abuelo
4. mi prima
5. mi hermano/yo

Actividad 2
1. cincuenta
2. treinta y uno
3. cien
4. veinticuatro

Actividad 3
Answers will vary.

VOCABULARIO C

Actividad 1
1. joven
2. mayor
3. viejo
4. fecha
5. menor

Actividad 2
Answers will vary.

Actividad 3
Answers will vary.

GRAMÁTICA A

Actividad 1
1. tiene
2. tengo
3. tienen
4. tenemos
5. tienes

Actividad 2
1. El cumpleaños de Ana es
   el treinta de noviembre.
2. El cumpleaños de mi
   mamá es el doce de
   septiembre.
3. El cumpleaños de Roberto
   es el primero de febrero.
4. El cumpleaños de
   Francisca es el catorce de
   julio.

Actividad 3
Answers will vary.

GRAMÁTICA B

Actividad 1
1. Luisa tiene quince
   vestidos.
2. Yo tengo veintitrés
   camisas.
3. Mis tíos tienen treinta y
   ocho zapatos.
4. Nosotras tenemos
   diecinueve faldas.

Actividad 2
1. Vicente es el padre de
   Tomás.
2. Sofía es la prima de
   Roberto.
3. Manuel es el abuelo de
   Sofía.
4. Emilio es el tío de Roberto.

Actividad 3
Answers will vary.

GRAMÁTICA C

Actividad 1
1. Carlos tiene su chaqueta.
2. Yo tengo mis pantalones.
3. Nosotros tenemos nuestros
   zapatos.
4. Paula tiene sus faldas.
5. Tú tienes tu suéter.

Actividad 2
1. el treinta y uno de
   diciembre/el primero de
   enero
2. el catorce de febrero
3. el cuatro de julio
4. el doce de octubre

Actividad 3
Answers will vary.

LECTURA A

¿Comprendiste?
el 12 de octubre
el 16 de septiembre
el 5 de mayo
el 2 de noviembre
el 21 de marzo

¿Qué piensas?
Answers will vary.

LECTURA B

¿Comprendiste?
1. una hermana
2. Jaime
3. Jaime
4. sus padres
5. un hermano

¿Qué piensas?
Answers will vary.

LECTURA C

¿Comprendiste?
1. Natalia Moreno es de San
   Diego.
2. Tiene quince años.
3. Hay ochenta personas.
4. A Natalia le gusta mucho
   bailar.
5. Hay un grupo de música
   mexicana.

¿Qué piensas?
Answers will vary.

Unidad 2
Etapa 1

VOCABULARIO A

Actividad 1
1. c
2. a
3. d
4. b

Actividad 2
1. prueba
2. difícil
3. mochila
4. tiza

Actividad 3
Answers will vary.

VOCABULARIO B

Actividad 1
1. español, inglés
2. matemáticas
3. computación
4. Answers will vary.
   Possible answers: historia,
   estudios sociales, ciencias.

Actividad 2
1. Uso tiza para escribir en el
   pizarrón./Uso el lápiz
   para escribir en el
   cuaderno.
2. En la clase de computación
   uso la computadora./
   Nado en la clase de
   educación física.
3. Llevo mis libros a casa en
   una mochila./Preparo la
   tarea en un escritorio.
4. Saco buenas notas porque
   estudio mucho./Saco
   malas notas porque
   estudio poco.

Actividad 3
Answers will vary.

VOCABULARIO C

Actividad 1
1. mi/la mochila
2. un/el teclado
3. un/el lápiz, una/la pluma
4. el pizarrón

Actividad 2
1. educación física
2. arte
3. ciencias
4. literatura

Actividad 3
Answers will vary.

GRAMÁTICA A

Actividad 1
1. habla
2. busco
3. usa
4. ayudamos
5. sacan

Actividad 2
1. A veces yo preparo la
   tarea.
2. Mi papá rara vez usa la
   computadora.
3. Mis hermanos ayudan en
   casa todos los días/
   siempre ayudan en casa.
4. A veces mi mamá escucha
   música./Mi mamá rara
   vez escucha música.

Actividad 3
Answers will vary.

GRAMÁTICA B

Actividad 1
llega
escuchan
preparan
llevo
sacas
estudias

Actividad 2
Answers will vary.

Actividad 3
Answers will vary.

GRAMÁTICA C

Actividad 1
Answers will vary.

Actividad 2
Answers will vary.

Actividad 3
Answers will vary.

LECTURA A

¿Comprendiste?
1. C
2. F
3. F
4. F

¿Qué piensas?
Answers will vary.

LECTURA B

¿Comprendiste?
1. estudiar
2. nadar y cantar
3. bailar

¿Qué piensas?
Answers will vary.

LECTURA C

¿Comprendiste?
1. a www.laatlantida.com
2. a www.ciudadfutura.com/ spacesite/index.html
3. a www.film100.com

¿Qué piensas?
Answers will vary.

Etapa 2

VOCABULARIO A

Actividad 1
correr—gimnasio
leer—biblioteca
trabajar—oficina
comer—cafetería

Actividad 2
está
visita
compras
comer
quiero

Actividad 3
Quiero comer una hamburguesa.
Quiero beber un vaso de agua.
Quiero comer un sándwich.
Quiero comer unas papas fritas.
Quiero comer fruta.

VOCABULARIO B

Actividad 1
1. Yo voy a la cafetería.
2. Nosotros vamos al teatro.
3. Mi/El tío Luis va a la oficina.
4. Ellas van al gimnasio.

Actividad 2
1. visita
2. miras
3. compran
4. terminamos

Actividad 3
Answers will vary. Possible answers:
¿Quieres beber un refresco?
¿Quieres comer un sándwich?

VOCABULARIO C

Actividad 1
Answers will vary. Possible answers:
1. Yo voy al auditorio. Tengo que cantar en un programa.
2. Tú vas a la biblioteca. Tienes que estudiar.
3. Ana y Marta van a la cafetería. Tienen que comer.
4. Nosotros vamos al gimnasio. Tenemos que correr.

Actividad 2
1. Me gusta comer al mediodía.
2. Me gusta correr por la tarde.
3. Me gusta estudiar por la noche.

Actividad 3
Answers will vary.

GRAMÁTICA A

Actividad 1
1. ¿Cómo?
2. ¿Dónde?
3. ¿Quiénes?
4. ¿Cuál?

Actividad 2
1. va
2. estoy
3. vas
4. estamos

Actividad 3
1. Gloria llega al gimnasio a las seis y media.
2. Gloria llega a la biblioteca a las cuatro y cinco.
3. Gloria llega a la casa a las cinco menos cuarto.

GRAMÁTICA B

Actividad 1
1. Por qué
2. Adónde
3. Quién
4. Qué
5. Cuándo

Actividad 2
1. A las nueve y cuarto, Teresa estudia para la prueba en la biblioteca.
2. A la una, Teresa trabaja para su papá en la oficina.

3. A las ocho menos veinte, Teresa prepara la tarea en casa.

Actividad 3
Answers will vary.

GRAMÁTICA C

Actividad 1
Cómo
Adónde
Dónde
Qué

Actividad 2
Answers will vary. Possible answers:
Nacho y Lola están en la biblioteca. Ellos estudian.
Elena está en la oficina. Ella usa la computadora.
Guillermo y yo estamos en (la) clase. Nosotros escuchamos a la maestra.

Actividad 3
Answers will vary.

LECTURA A

¿Comprendiste?
1. papitas fritas/pan/pastel
2. piña
3. cereal/pan/piña en su jugo

¿Qué piensas?
Answers will vary.

LECTURA B

¿Comprendiste?
1. F
2. F
3. C
4. F
5. F

¿Qué piensas?
Answers will vary. Possible answer:
1. tamales, tortas

LECTURA C

¿Comprendiste?
1. Va a Veracruz.
2. Llega a las ocho y media.
3. El billete es para el veintidós de junio.
4. El viaje es trece horas.

¿Qué piensas?
Answers will vary.

Etapa 3

VOCABULARIO A

Actividad 1
1. Toca
2. hambre
3. Pasea
4. Hace
5. sed

Actividad 2
beber—agua
leer—una revista/una carta
mandar—una carta
preparar—la cena
tocar—el piano

Actividad 3
1. Mi hermano camina con el perro.
2. Yo veo la televisión.

3. Mi madre anda en bicicleta.
4. Mi prima pinta.

VOCABULARIO B

Actividad 1
1. ve
2. bebe
3. anda
4. cuida
5. oye/ve

Actividad 2
1. el parque
2. el museo
3. la tienda
4. el teatro

Actividad 3
Answers will vary. Possible answers:
1. Raúl anda en bicicleta.
2. Jorge vende ropa.
3. Susana hace ejercicio.
4. Timoteo compra comida.

VOCABULARIO C

Actividad 1
1. tiene hambre
2. tenemos sed
3. tengo hambre
4. tienen sed

Actividad 2
Answers will vary. Possible answers:
1. pasear
2. ver la televisión
3. comer
4. estudiar
5. ver arte

Actividad 3
Answers will vary.

GRAMÁTICA A

Actividad 1
está
hacemos
lee
ve
escribe
oye
hago

Actividad 2
1. Mi tío oye un perro.
2. Mis abuelos oyen los pájaros.
3. Mi hermana y yo oímos una guitarra.
4. Tú oyes el animal.
5. Yo oigo la música.

Actividad 3
Answers will vary.

GRAMÁTICA B

Actividad 1
1. Yo conozco a su hermano.
2. Yo hago ejercicio por la mañana.
3. Él come con sus amigos.
4. Entonces él va al supermercado.
5. Yo oigo música todos los días.

Actividad 2
1. Yo conozco a la profesora de música.
2. Tú conoces el museo de arte.

3. Mi profesor de español conoce a mis padres.
4. Nosotros conocemos el parque.

Actividad 3
Answers will vary.

GRAMÁTICA C

Actividad 1
1. Antes de tomar el examen, estudio.
2. Antes de ver la televisión, hago la tarea.
3. Antes de leer, abro el libro.
4. Antes de cenar, voy al supermercado.

Actividad 2
Answers will vary. Possible answers:
1. Elena va a leer.
2. Voy a escribir una carta.
3. Mariana va a caminar con el perro.
4. Vamos a estudiar.
5. Vicente va a comer.

Actividad 3
Answers will vary.

LECTURA A

¿Comprendiste?
1. 711 99 50
2. 420 35 68
3. 580 78 23
4. 549 71 50

¿Qué piensas?
Answers will vary.

LECTURA B

¿Comprendiste?
1. Le gusta pintar, tocar la guitarra y caminar con el perro en el parque.
2. Le gusta escuchar la música rock, andar en bicicleta y leer revistas en la biblioteca.
3. Ella piensa que es muy buen amigo.

¿Qué piensas?
Answers will vary.

LECTURA C

¿Comprendiste?
1. viaje de ida y vuelta, fresas a bordo del tren, entrada a monumentos y visita guiada
2. San Lorenzo de El Escorial y Valle de los Caídos, Toledo, Segovia y Ávila
3. al acuario del Zoológico de la Casa de Campo

¿Qué piensas?
Answers will vary.

Unidad 3

Etapa 1

VOCABULARIO A

Actividad 1
Hola
te invito
no puedo
Tal vez otro día.

Actividad 2
1. cansado
2. triste
3. preocupado
4. nerviosos
5. enojada

Actividad 3
Answers will vary.

VOCABULARIO B

Actividad 1
Puedo
lástima
Dígale, favor

Actividad 2
contenta/alegre/ emocionada
preocupados
ocupado/cansado

Actividad 3
Answers will vary.

VOCABULARIO C

Actividad 1
Answers will vary. Possible answers:
Buenas tardes, señor Casas. Soy Ramón.
Bien, gracias. ¿Puedo hablar con Jaime?
¡Qué lástima! Dígale que me llame, por favor.
Hasta luego.

Actividad 2
1. ocupado/cansado
2. nervioso(a)/preocupado(a)
3. contenta/alegre/ emocionada
4. enferma

Actividad 3
Answers will vary.

GRAMÁTICA A

Actividad 1
Answers will vary. Possible answers:
1. Ellos vienen del gimnasio y están cansados.
2. María viene del museo y está tranquila.
3. Mis abuelos vienen del hospital y están enfermos.
4. Yo vengo de la fiesta y estoy alegre.

Actividad 2
1. acaba de ver una película/ir al cine.
2. acabo de ir de compras/ir al supermercado.
3. acaban de caminar con el perro.
4. acabamos de leer el periódico.

Actividad 3
Answers will vary.

GRAMÁTICA B

Actividad 1
Answers will vary. Possible answers:
1. acaba de comer
2. acabas de alquilar un video
3. acabo de ir de compras
4. acaba de trabajar mucho
5. acabamos de beber agua

Actividad 2
1. Nosotros estamos en la fiesta y estamos contentos.
2. Mis primas están en el gimnasio y están emocionadas.
3. Yo estoy en el hospital y estoy enfermo(a).
4. Susana está en el parque y está tranquila.

Actividad 3
Answers will vary.

GRAMÁTICA C

Actividad 1
1. está contento
2. estamos preocupados
3. está ocupada
4. estoy enojado(a)

Actividad 2
Answers will vary. Possible answers:
1. María viene de la biblioteca. Acaba de estudiar.
2. Carlos y Matilde vienen de la tienda. Acaban de comprar ropa.
3. Yo vengo del parque. Acabo de practicar deportes.
4. Ustedes vienen de la escuela. Acaban de aprender historia.

Actividad 3
Answers will vary. Possible answers:
¿Qué les gusta hacer? Nos gusta hablar por teléfono. Nos gusta ir a un concierto.

LECTURA A

¿Comprendiste?
1. F
2. F
3. C
4. C

¿Qué piensas?
Answers will vary.

LECTURA B

¿Comprendiste?
1. Jon Secada
2. el veinte de junio
3. porque Jon Secada es su cantante favorito

¿Qué piensas?
Answers will vary.

LECTURA C

¿Comprendiste?
1. cuando está ocupado
2. ser feliz y hacer feliz a los demás
3. a Jerome

¿Qué piensas?
Answers will vary.

Etapa 2

VOCABULARIO A

Actividad 1
1. béisbol
2. hockey
3. tenis

---

4. fútbol americano/ hockey/béisbol
5. béisbol

Actividad 2
1. Tú prefieres andar en patineta.
2. Mi tía prefiere esquiar.
3. Yo prefiero jugar al tenis.
4. Mis amigos prefieren levantar pesas.

Actividad 3
1. Para jugar al baloncesto voy a la cancha.
2. Para nadar voy a la piscina.
3. Para jugar al fútbol voy al estadio/al campo.
4. Para jugar al tenis voy a la cancha.

VOCABULARIO B

Actividad 1
1. Mario va a jugar al béisbol.
2. Yo voy a andar en patineta.
3. Mi hermano y yo vamos a levantar pesas.
4. Mi papá va a jugar al tenis.

Actividad 2
1. baloncesto
2. hockey
3. esquiar
4. béisbol

Actividad 3
Answers will vary.

VOCABULARIO C

Actividad 1
1. Yo juego al béisbol.
2. Mi mamá juega al tenis.
3. Mi primo juega al fútbol americano.
4. Mi hermano juega al hockey.

Actividad 2
béisbol
tienda de deportes
bate
guante
pelota
parque

Actividad 3
Answers will vary. Possible answers:
Raúl tiene el bate. Pilar tiene la pelota. Marco y Pilar tienen los guantes. Juanita lleva una gorra.

GRAMÁTICA A

Actividad 1
1. empieza
2. piensa
3. cierro
4. prefiere
5. merendamos

Actividad 2
1. Yo sé andar en patineta.
2. Mi tío sabe esquiar (en el agua).
3. Mis padres saben jugar al baloncesto.
4. Tú sabes andar en bicicleta.
5. Mi hermana y yo sabemos pintar.

Actividad 3
Answers will vary.

GRAMÁTICA B

Actividad 1
1. empezar-empieza
2. entender-entiende
3. Querer-Quiere
4. Cerrar-Cierra
5. Preferir-Prefiere
6. Merendar-Merienda

Actividad 2
1. Yo sé jugar al béisbol.
2. Tú sabes jugar al voleibol.
3. Mi madre sabe jugar al fútbol.
4. Felipe y yo sabemos jugar al baloncesto.
5. Mis tíos saben jugar al tenis.

Actividad 3
Answers will vary.

GRAMÁTICA C

Actividad 1
1. Mi madre quiere/prefiere jugar al tenis.
2. Mi padre quiere/prefiere leer un libro.
3. Mi hermana quiere/prefiere jugar al fútbol.
4. Yo quiero/prefiero andar en bicicleta.

Actividad 2
Answers will vary.

Actividad 3
Answers will vary.

LECTURA A

¿Comprendiste?
1. porque es divertido
2. el golf
3. el baloncesto

¿Qué piensas?
Answers will vary.

LECTURA B

¿Comprendiste?
1. F
2. F
3. C
4. F

¿Qué piensas?
Answers will vary.

LECTURA C

¿Comprendiste?
1. de todas partes
2. Tina Ramírez; para expresar la cultura hispana mediante el baile
3. la música pop de Gloria Estefan, Eddie Palmieri, Rubén Blades y Selena

¿Qué piensas?
Answers will vary.

Etapa 3

VOCABULARIO A

Actividad 1
1. Creo que no.
2. Creo que sí.
3. Creo que sí.
4. Creo que no.
5. Creo que sí.

Actividad 2
1. c
2. a/c
3. d/b
4. b/d

Actividad 3
Answers will vary. Possible answers:
1. Tengo ganas de nadar cuando hace calor.
2. Tengo prisa por la mañana.
3. Tengo sueño cuando trabajo mucho.
4. Tengo miedo cuando hay una tormenta.

VOCABULARIO B

Actividad 1
1. frío
2. bufanda
3. abrigo
4. llover
5. impermeable
6. paraguas
7. sol
8. calor

Actividad 2
1. frío
2. frío
3. sed/calor
4. sueño
5. ganas
6. tengo
7. suerte

Actividad 3
Answers will vary.

VOCABULARIO C

Actividad 1
1. En Canadá llueve mucho en la primavera. Creo que sí.
2. En la Antártida nieva mucho en el invierno. Creo que sí.
3. En Irlanda hace calor en el invierno. Creo que no.
4. En Jamaica hace mucho frío en el otoño. Creo que no.

Actividad 2
1. Están en la playa.
2. Estás en las montañas/en el lago.
3. Estamos en el desierto.
4. Está en el bosque.

Actividad 3
Answers will vary.

GRAMÁTICA A

Actividad 1
1. blusa
2. trajes de baño
3. gorro
4. gafas de sol

Actividad 2
1. hay/hace
2. tienes
3. hace
4. está
5. hace
6. Tengo

Actividad 3
Answers will vary. Possible answers:
1. Estoy tomando el sol y bebiendo un refresco.

2. Mis amigos están sacando fotos y caminando.
3. Mi familia y yo estamos bebiendo agua y mirando los cactus.

GRAMÁTICA B

Actividad 1
1. No las llevo./Sí, las llevo.
2. No lo llevo.
3. Sí, la llevo./No la llevo.
4. Sí, los llevo./No los llevo.

Actividad 2
1. Está nublado. Tienes ganas de leer.
2. Hay/Hace sol. Nosotros tenemos calor.
3. Hace buen tiempo. Ustedes tienen suerte.
4. Nieva./Está nevando. Los jóvenes tienen ganas de esquiar.

Actividad 3
Answers will vary. Possible answer:
En sus sueños Enrique está caminando por el bosque, tomando el sol y leyendo en la playa y comiendo una hamburguesa. En mis sueños estoy esquiando en las montañas, viendo arte en el museo y nadando en el lago.

GRAMÁTICA C

Actividad 1
1. (persona) lo lleva.
2. (persona) lo lleva.
3. (persona) los lleva.
4. (persona) la lleva.

Actividad 2
Answers will vary. Possible answers:
1. Yo estoy comiendo porque tengo hambre.
2. Mi amigo está corriendo porque le gusta hacer ejercicio.
3. Los estudiantes de la clase están estudiando matemáticas porque hay una prueba.

Actividad 3
Answers will vary.

LECTURA A

¿Comprendiste?
Hay viento en Ponce. Está parcialmente nublado en Arecibo. La temperatura está a 60 grados. Va a hacer sol en San Juan.

¿Qué piensas?
Answers will vary.

LECTURA B

¿Comprendiste?
1. Paloma está en el bosque tropical.
2. Oriana está en la playa.
3. No, Joaquín está en el desierto. No le gusta nadar.
4. Esteban está esquiando en las montañas.

¿Qué piensas?
Answers will vary.

LECTURA C

¿Comprendiste?
1. uno
2. esquiar/jugar al golf/leer/andar en bicicleta
3. al lado de un río en las montañas

¿Qué piensas?
Answers will vary.

Unidad 4

Etapa 1

VOCABULARIO A

Actividad 1
1. b
2. f
3. e
4. d
5. a
6. c

Actividad 2
Perdone
decirme
cuadras
derecha
entre
correo
Lo siento.

Actividad 3
Answers will vary. Possible answers:
Voy a la librería a pie.
Voy al cine por metro.
Voy a la escuela por autobús.
Voy a Oaxaca por avión.

VOCABULARIO B

Actividad 1
1. zapatería
2. panadería
3. correo
4. joyería
5. tienda de música

Actividad 2
Answers will vary. Possible answers:
1. Voy a la escuela por autobús.
2. Voy al cine por metro.
3. Voy al centro comercial por carro.
4. Voy al correo a pie.

Actividad 3
Answers will vary.

VOCABULARIO C

Actividad 1
Answers will vary. Possible answers:
1. Voy a la isla de Puerto Rico por avión o por barco.
2. Voy al estadio por carro o por autobús.
3. Voy a Washington, D.C. por avión o por tren.
4. Voy al aeropuerto por taxi o por metro.
5. Voy al parque por bicicleta o a pie.

Actividad 2
Answers will vary. Possible answers:

Voy a la zapatería. Tengo que comprar unos zapatos.
Voy a la librería. Tengo que comprar un libro.
Voy a la papelería. Tengo que comprar papel.
Voy a la tienda de ropa. Tengo que comprar una camiseta.

Actividad 3
Answers will vary.

GRAMÁTICA A

Actividad 1
dice
dices
digo
dicen

Actividad 2
1. d
2. a
3. b
4. c

Actividad 3
Answers will vary. Possible answers:
¡Escucha la música mexicana! ¡Saca muchas fotos! ¡Nada en el mar! ¡Pasea por las playas! ¡Come muchos tacos!

GRAMÁTICA B

Actividad 1
dice
sale
salimos
digo
salen

Actividad 2
El correo queda cerca de aquí. Primero dobla a la izquierda en la primera calle. Camina tres cuadras y dobla a la derecha. El correo queda enfrente del banco, en la próxima cuadra.

Actividad 3
Answers will vary. Possible answers:
Camina a la escuela. Come fruta. Corre en el gimnasio. Practica deportes. Nada en la piscina.

GRAMÁTICA C

Actividad 1
1. Ana y Nacho dicen que salen a las seis y media.
2. Patricia dice que sale a las seis y cuarto.
3. Yo digo que salgo a las seis y veinticinco.
4. Tu hermano dice que sale a las siete menos veinticinco.

Actividad 2
Answers will vary.

Actividad 3
Answers will vary. Possible answers:
Estudia para los exámenes. Escucha a tus maestros. Prepara la tarea todos los días. Lee las lecciones. Llega a tiempo a clase.

LECTURA A

¿Comprendiste?
1. Va a la Librería Porrúa.
2. Va al Café Dos Hermanos.
3. Va a la Joyería Velázquez.
4. Compra un cuaderno en la Papelería Lumen.
5. Sí, le gusta ir al centro.

¿Qué piensas?
Answers will vary.

LECTURA B

¿Comprendiste?
1. La escuela está a doce cuadras de la casa.
2. La calle Beacon está a cuatro cuadras de la casa.
3. Hay un parque al lado de la escuela.
4. La pastelería está entre la escuela y la esquina.

¿Qué piensas?
Answers will vary.

LECTURA C

¿Comprendiste?
1. El viaje a Taxco dura cuatro horas.
2. El mercado de artesanías está a dos cuadras de la plaza.
3. Hay hoteles, orfebrerías y restaurantes.
4. Va a comer muchos platos.

¿Qué piensas?
Answers will vary.

Etapa 2

VOCABULARIO A

Actividad 1
1. joyería
2. tienda de artículos de cuero
3. tienda de música y videos
4. tienda de artículos de cuero
5. tienda de artesanías
6. tienda de música y videos

Actividad 2
pulsera/anillo
aretes
collar
jarra
bolsa

Actividad 3
Answers will vary. Possible answers:
¿Cuánto cuesta? ¡Es muy caro(a)! ¿Me deja ver…? Le puedo ofrecer… Le dejo… en…

VOCABULARIO B

Actividad 1
1. las botas
2. la cartera
3. la tarjeta de crédito
4. el cinturón

Actividad 2
1. El collar cuesta 100 pesos.
2. El cinturón cuesta 5 pesos.
3. El anillo cuesta 90 pesos.
4. La cartera cuesta 4 pesos.

Actividad 3
Answers will vary. Possible

answers:
clientes: ¿Cuánto cuesta? ¡Es muy caro(a)! ¿Me deja ver…? Le puedo ofrecer…
vendedor(a): Le dejo… en… Quedamos en… ¿Cómo va a pagar?

VOCABULARIO C

Actividad 1
Answers will vary. Possible answers:
1. Voy a comprarle un cinturón.
2. Voy a comprarle una olla.
3. Voy a comprarle un collar.
4. Voy a comprarle un disco compacto.

Actividad 2
1. Mi padre está devolviendo una cartera y un cinturón.
2. Yo estoy devolviendo un casete y un disco compacto.
3. Mis abuelos están devolviendo una jarra y una olla.

Actividad 3
Answers will vary.

GRAMÁTICA A

Actividad 1
1. almuerza
2. almuerzo
3. almorzamos
4. almuerzan
5. almuerzas

Actividad 2
cuesta
encuentro
pienso
puedo
encuentras

Actividad 3
1. Rafael les compra un disco compacto a sus padres.
2. Mis padres me compran una cartera a mí.
3. Tú le compras un anillo a tu amiga.
4. Mi abuelo nos compra un radiocasete a nosotros.

GRAMÁTICA B

Actividad 1
1. Tú almuerzas conmigo.
2. Beto recuerda mi dirección.
3. Mi padre duerme por la tarde.
4. Nosotros devolvemos los libros.
5. Ustedes encuentran buenos regalos.

Actividad 2
1. almuerzo
2. devuelve
3. encontramos
4. cuentan
5. duermes

Actividad 3
Answers will vary.

GRAMÁTICA C

Actividad 1
Answers will vary.
1. A mis hermanos les compro…
2. Te compro…

3. Me compro…
4. A Maribel le compro…

Actividad 2
1. vuelve
2. devuelve
3. puedes
4. almorzamos
5. cuento

Actividad 3
Answers will vary.

LECTURA A

¿Comprendiste?
1. Maricarmen está en Oaxaca, México.
2. Ella va al mercado.
3. Cierto
4. Cierto

¿Qué piensas?
1. Voy a comprar una bolsa/una cartera/una jarra.
2. Answers will vary.

LECTURA B

¿Comprendiste?
1. Puedes regatear./Puedes comprar cosas baratas./Practicas español.
2. No aceptan tarjetas de crédito./Hay que pagar en efectivo./A veces la calidad de la mercancía no es muy buena.
3. ¿Cuánto cuesta esto? ¡Es muy caro! ¿Lo deja por menos?
4. Ella practica su español.

¿Qué piensas?
Answers will vary.

LECTURA C

¿Comprendiste?
1. Tiene (más de) setenta años.
2. Necesita cera de abeja, una base de contrachapado y estambre.
3. Los maestros de Cresencio son sus padres.
4. Los cuadros son muy coloridos y cada uno es diferente.

¿Qué piensas?
Answers will vary.

Etapa 3

VOCABULARIO A

Actividad 1
1. Sí
2. Sí
3. No
4. Sí
5. No

Actividad 2
Fui a la zapatería, la joyería, la tienda de música, la papelería y la farmacia.

Actividad 3
Answers will vary. Possible answers:
el menú
pedir
enchiladas
Quisiera

¡En español! Leve

VOCABULARIO B

Actividad 1
menú
ensalada
bistec
arroz
pastel
cuenta

Actividad 2
1. un vaso
2. una taza
3. una cuchara
4. un tenedor
5. un cuchillo (o un tenedor)

Actividad 3
Answers will vary.

VOCABULARIO C

Actividad 1
queso
ensalada
salsa
azúcar
carne

Actividad 2
1. un tenedor
2. picantes
3. riquísimo
4. una taza

Actividad 3
Answers will vary.

GRAMÁTICA A

Actividad 1
1. gustan
2. gusta
3. gusta
4. gustan
5. gusta

Actividad 2
1. nadie
2. nada
3. también
4. algo

Actividad 3
Answers will vary.
(No) Me gusta el café porque…
(No) Me gustan los quesos porque…
(No) Me gusta el bistec porque…
(No) Me gustan los refrescos de fruta porque…

GRAMÁTICA B

Actividad 1
1. Nadie juega en el gimnasio.
2. No quisiera tomar nada.
3. Nunca pido limonada.
4. No voy a pedir ningún postre.

Actividad 2
1. (No) Me gusta la limonada.
2. (No) Me gustan las enchiladas.
3. (No) Me gusta poner la mesa.
4. (No) Me gustan los postres.
5. (No) Me gusta la carne.
6. (No) Me gusta desayunar en un café.

Actividad 3
Answers will vary.

GRAMÁTICA C

Actividad 1
1. A mi gato (no) le gusta el bistec.
2. A mi tío (no) le gustan las bebidas calientes.
3. A mí (no) me gustan las ensaladas.
4. A mi profesor(a) de inglés (no) le gusta el flan.
5. A mis padres (no) les gusta la sopa.

Actividad 2
1. Hay algo en mi mochila.
2. Siempre ayudo a mis padres.
3. Nadie sabe cuánto es la cuenta.
4. No voy a comer en ningún restaurante mexicano.

Actividad 3
Answers will vary. Possible answers:
1. Sirven enchiladas.
2. Sirvo mucha comida.
3. Pido una hamburguesa.
4. Pido un refresco.
5. Sirven papas fritas.

LECTURA A

¿Comprendiste?
1. Los chicos mexicanos prefieren licuados de fruta cuando vuelven a casa.
2. Es fácil preparar un licuado de banana.
3. No hay dos vasos de agua en un licuado.
4. Hay azúcar en un licuado.

¿Qué piensas?
Answers will vary.

LECTURA B

¿Comprendiste?
1. Falso. El restaurante está en Venezuela.
2. Falso. El menú tiene cinco primeros platos.
3. Falso. No es un restaurante vegetariano.
4. Falso. Sirven postres en el restaurante.
5. Falso. El menú no tiene una lista de bebidas.

¿Qué piensas?
Answers will vary.

LECTURA C

¿Comprendiste?
1. Falso
2. Cierto
3. Falso
4. Falso

¿Qué piensas?
Answers will vary.

Unidad 5

Etapa 1

VOCABULARIO A

Actividad 1
despierto
lavo
pongo
quitar la mesa

peino

Actividad 2
el pelo
la cara
las manos
las orejas
los dientes

Actividad 3
Answers will vary.

VOCABULARIO B

Actividad 1
se lava la cabeza
se baña
se seca
se lava los dientes
se afeita

Actividad 2
1. champú
2. espejo
3. pasta de dientes, cepillo de dientes
4. toalla
5. jabón

Actividad 3
Answers will vary.

VOCABULARIO C

Actividad 1
1. dientes
2. toalla
3. peine
4. espejo

Actividad 2
Necesito pasta de dientes porque quiero lavarme los dientes.
Necesito una toalla porque quiero secarme.
Necesito un peine porque quiero peinarme.
Necesito un secador de pelo porque quiero secarme el pelo.

Actividad 3
Answers will vary.

GRAMÁTICA A

Actividad 1
Answers will vary.
1. Me despierto a las…
2. Me ducho a las…
3. Me pongo la ropa a las…
4. Me acuesto a las…

Actividad 2
Haz la cama.
Pon la mesa.
Ten cuidado.
Sé bueno.

Actividad 3
Answers will vary.

GRAMÁTICA B

Actividad 1
Se despierta a las ocho.
Se ducha.
Se pone la ropa.
Se maquilla.
Se lava los dientes.

Actividad 2
1. No hagas la cama.
2. No laves los platos.
3. No pongas la mesa.
4. No escribas la tarea.

Actividad 3
Answers will vary.

GRAMÁTICA C

Actividad 1
Haz
Ten
Sal
Ven

Actividad 2
1. ¡Haz tu cama!
2. ¡No pongas la mesa!
3. ¡Lava los platos!
4. ¡Come el postre!
5. ¡No quites la mesa!

Actividad 3
Answers will vary.

LECTURA A

¿Comprendiste?
1. F
2. C
3. F
4. F
5. F

¿Qué piensas?
Answers will vary.

LECTURA B

¿Comprendiste?
1. porque la casa está sucia/tiene que hacer los quehaceres
2. ducharse, lavarse los dientes y peinarse
3. hacer las camas, quitar la mesa, limpiar los cuartos y/o lavar los platos

¿Qué piensas?
Answers will vary.

LECTURA C

¿Comprendiste?
1. en el Parque Montjuïc
2. Joan Miró
3. un estilo de formas fluidas y colores brillantes en las pinturas
4. Max Ernst-también es un pintor surrealista

¿Qué piensas?
Answers will vary.

Etapa 2

VOCABULARIO A

Actividad 1
1. estoy en la cocina
2. está en el jardín
3. está en la habitación
4. están en el baño

Actividad 2
1. Carmen debe barrer el suelo.
2. Raúl y su hermano deben sacar la basura.
3. Yo debo planchar unas camisas.
4. Mi hermana y yo debemos quitar el polvo.

Actividad 3
Answers will vary.

VOCABULARIO B

Actividad 1
1. C
2. F

3. F
4. F

Actividad 2
1. jardín
2. habitación
3. sala
4. llave

Actividad 3
Answers will vary.

VOCABULARIO C

Actividad 1
1. está comiendo aceitunas
2. está comiendo jamón
3. estoy comiendo tortilla española
4. están comiendo chorizo

Actividad 2
1. barro
2. saca
3. plancha
4. pasa

Actividad 3
Answers will vary.

GRAMÁTICA A

Actividad 1
1. Ustedes están sirviendo la comida.
2. Ellos están ordenando los libros.
3. Ella está sacando la basura.
4. Yo estoy moviendo los muebles.

Actividad 2
1. Ellos deben lavar su ropa.
2. Yo debo quitar el polvo.
3. Él debe sacar la basura.
4. Ella debe ordenar las flores.

Actividad 3
Answers will vary. Possible answers:
1. Limpio mi cuarto cuidadosamente.
2. Lavo los platos frecuentemente.
3. Quito el polvo fácilmente.
4. Ando en bicicleta rápidamente.
5. Hago la tarea tranquilamente.

GRAMÁTICA B

Actividad 1
Answers will vary. Possible answers:
1. Yo debo ir al supermercado.
2. Ella debe dar una fiesta.
3. Ellos deben limpiarlo.
4. Nosotros debemos lavarla.

Actividad 2
1. Mueve los muebles. Ya los estoy moviendo/estoy moviéndolos.
2. Barre el suelo. Ya lo estoy barriendo/estoy barriéndolo.
3. Pasa la aspiradora. Ya la estoy pasando/estoy pasándola.

Actividad 3
Answers will vary.

GRAMÁTICA C
1. Carlos debe preparar las

---

tapas lentamente.
2. Nosotros debemos invitar a todos secretamente.
3. Tú debes buscar un regalo cuidadosamente.
4. Todos deben esperar pacientemente.

Actividad 2
Answers will vary. Possible answers:
Debes ser buena. Debes pedir el menú. Debes esperar pacientemente. Debes comer tranquilamente.

Actividad 3
Answers will vary.

LECTURA A

¿Comprendiste?
1. tres
2. en la cocina
3. un sofá, dos sillones y dos mesitas
4. en los armarios de las habitaciones

¿Qué piensas?
Answers will vary.

LECTURA B

¿Comprendiste?
1. F
2. F
3. C
4. F
5. C

¿Qué piensas?
Answers will vary.

LECTURA C

¿Comprendiste?
1. F
2. F
3. C
4. F

¿Qué piensas?
Answers will vary.

Etapa 3

VOCABULARIO A

Actividad 1
1. frigorífico
2. estufa
3. horno
4. luz

Actividad 2
1. C
2. C
3. F
4. C

Actividad 3
Answers will vary. Possible answers:
1. la carne de res, aceite
2. lechuga, zanahorias, tomates
3. patatas, zanahorias
4. helado, galletas

VOCABULARIO B

Actividad 1
1. docena
2. paquete
3. kilo
4. litros

Actividad 2
Answers will vary. Possible answers:
1. azúcar, harina
2. patatas, aceite, sal, pimienta
3. lechuga, zanahorias, tomates
4. pan, queso, jamón

Actividad 3
Answers will vary.

VOCABULARIO C

Actividad 1
Answers will vary. Possible answers:
1. Vamos a comer puerco.
2. Quiero huevos.
3. Pasta con salsa de tomates es muy sabrosa.

Actividad 2
1. Necesito novecientas veinticinco botellas de refrescos.
2. Necesito quinientas diez latas de zumo.
3. Necesito setecientas treinta galletas.
4. Necesito ciento cuarenta y cinco cajas de helado.

Actividad 3
Answers will vary.

GRAMÁTICA A

Actividad 1
Answers will vary. Possible answers:
1. Ella llevó varios discos compactos.
2. Yo llevé un video.
3. Ellos llevaron enchiladas.
4. Nosotros llevamos helado y galletas.

Actividad 2
1. Mariana pasó la aspiradora.
2. Yo saqué la basura.
3. Felipe y Ana quitaron el polvo.
4. Enrique y yo lavamos los platos.

Actividad 3
Answers will vary.

GRAMÁTICA B

Actividad 1
1. ¿A qué hora lavaste los platos?
2. ¿Qué cocinó ella?
3. ¿A quiénes invitaron?
4. ¿Cuando terminaron ustedes el semestre?

Actividad 2
1. estudió
2. toqué
3. tomamos
4. se duchó

Actividad 3
Answers will vary.

GRAMÁTICA C

Actividad 1
Answers will vary but will include the following verb forms: me lavé, usé, escuché, preparé.

Actividad 2
Answers will vary. Possible answers:
Arturo es el más alto. Samuel es el más pequeño. Ricardo es el más serio.

Actividad 3
Answers will vary but will include the following verb forms: saqué, empecé, llegué.

LECTURA A

¿Comprendiste?
1. Un microondas cuesta veintiséis mil doscientas cincuenta pesetas.
2. Una estufa cuesta cuarenta y cuatro mil doscientas cincuenta pesetas.
3. Un frigorífico cuesta cincuenta y ocho mil quinientas pesetas.
4. Puedes comprar un horno o un microondas.

¿Qué piensas?
Answers will vary.

LECTURA B

¿Comprendiste?
1. C
2. F
3. F
4. F

¿Qué piensas?
Answers will vary.

LECTURA C

¿Comprendiste?
1. La fiesta es para Anita.
2. Diego tiene que traer los huevos.
3. A nadie le gusta el zumo de tomate.
4. Van a servir carne de res, puerco y salchichas.

¿Qué piensas?
Answers will vary.

Unidad 6
Etapa 1

VOCABULARIO A

Actividad 1
bombero
taxista
fotógrafa
cartero

Actividad 2
enorme
antiguos
moderna
lujosas
sencillo

Actividad 3
Answers will vary. Possible answers:
El bombero ayudó a las personas en el edificio. El fotógrafo sacó fotos. El periodista habló con el arquitecto. El arquitecto contestó las preguntas d[ ] periodista.

Actividad 1
1. fotógrafo(a)
2. taxista
3. secretario(a)
4. contador(a)
5. cartero(a)

Actividad 2
1. estrechas
2. moderno
3. enorme
4. lujosa

Actividad 3
Answers will vary. Possible answers:
¿A usted le gustan los edificios antiguos? ¿Hace planos para edificios enormes? ¿Prefiere usted las casas lujosas o las casas sencillas? ¿A usted le gusta la arquitectura moderna?

VOCABULARIO C

Actividad 1
1. F
2. F
3. C
4. C
5. F

Actividad 2
edificios enormes
una calle estrecha
un edificio antiguo
un hotel lujoso

Actividad 3
Answers will vary.

GRAMÁTICA A

Actividad 1
1. fui
2. fue
3. fueron
4. fuiste
5. fuimos

Actividad 2
1. bebí
2. oímos
3. saliste
4. barrieron
5. vendió

Actividad 3
1. El lunes la estudiante leyó una revista.
2. La semana pasada los periodistas escribieron unos artículos.
3. El mes pasado el arquitecto hizo un plano.
4. Anoche las fotógrafas compartieron las fotos.

GRAMÁTICA B

Actividad 1
fue
Abrió
Leyó
aprendió
escribió
Recibió

Actividad 2
1. Carmen y María leyeron el periódico.
2. Tú hiciste ejercicio.
3. Miguel y Verónica fueron al museo.
4. Pedro y yo salimos con sus padres.

5. Andrés vendió su carro.

Actividad 3
Answers will vary but will include some of the following verb forms: comí, escribí, fui, leí, compartí, aprendí, salí.

GRAMÁTICA C

Actividad 1
1. comieron (en la cafetería)
2. corrió (en el parque)
3. escribiste
4. salimos (del cine/del teatro)

Actividad 2
Luis fue a un campamento de verano. Una noche oyó un ruido extraño. No vio nada. Entonces decidió correr. Creyó que fue un animal peligroso, pero sólo fue el viento.

Actividad 3
Answers will vary but will include some of the following verb forms: aprendimos, escribimos, leímos, oímos, fuimos, hicimos, salimos.

LECTURA A

¿Comprendiste?
1. Hace planes para todo tipo de edificios.
2. Hace edificios enormes y edificios pequeños.
3. Hace tiendas modernas.
4. Hace hoteles lujosos.

¿Qué piensas?
Answers will vary.

LECTURA B

¿Comprendiste?
1. F
2. F
3. F
4. C

¿Qué piensas?
Answers will vary.

LECTURA C

¿Comprendiste?
1. Necesita dos gerentes.
2. Debes llamar a la señora Díaz.
3. Vas a escribir sobre fútbol.
4. Debes traer tu cámara.

¿Qué piensas?
Answers will vary.

Etapa 2

VOCABULARIO A

Actividad 1
1. segundo
2. tercera
3. primera
4. quinto
5. cuarta

Actividad 2
el gallo—canta muy temprano
el caballo—lleva al ganadero en el campo
la gallina—pone huevos
la vaca—da leche

Actividad 3
Answers will vary.

VOCABULARIO B

Actividad 1
1. F
2. C
3. C
4. F

Actividad 2
estos
esta
este
estas

Actividad 3
Catarina terminó primera/en primer lugar. Carlos terminó segundo/en segundo lugar. Miguel terminó tercero/en tercer lugar.

VOCABULARIO C

Actividad 1
1. El perro está/duerme encima de su casa.
2. El perro está/duerme dentro de su casa.
3. El perro está/duerme fuera/al lado de su casa.
4. El perro está/duerme debajo de la mesa.

Actividad 2
1. este
2. aquella
3. este, ese
4. aquellos

Actividad 3
Answers will vary.

GRAMÁTICA A

Actividad 1
1. dio
2. tuvieron
3. vinimos
4. dije
5. estuvieron

Actividad 2
este
estos
esta

esas
esa
ese

aquella
aquellos
aquel

Actividad 3
Answers will vary.

GRAMÁTICA B

Actividad 1
1. dentro
2. debajo
3. arriba
4. lejos

Actividad 2
1. Me gustan ésos.
2. Me gusta ése.
3. Me gusta ésa.
4. Me gustan ésas.

Actividad 3
Answers will vary.

VOCABULARIO B

Actividad 1
1. F
2. C
3. C
4. F

Actividad 3
Answers will vary but will include some of the following verb forms: dio, dijo, vino, tuvo, estuvo, hizo, fue.

GRAMÁTICA C

Actividad 1
1. Yo terminé segundo(a)/en segundo lugar.
2. Marta terminó cuarta/en cuarto lugar.
3. Antonio terminó tercero/en tercer lugar.
4. Carolina terminó primera/en primer lugar.
5. Juan terminó quinto/en quinto lugar.

Actividad 2
Possible answers: aquel toro, aquella llama, aquel caballo, aquel cerdo, aquella gallina, aquellos animales

Actividad 3
Answers will vary but will include the following verb forms: vino, dijo, tuvo, estuvo.

LECTURA A

¿Comprendiste?
1. F
2. F
3. C
4. C
5. F

¿Qué piensas?
Answers will vary.

LECTURA B

¿Comprendiste?
1. Es de Sudamérica.
2. Viven en las montañas.
3. Es un animal muy trabajador y fuerte.
4. Da leche y lana.

¿Qué piensas?
Answers will vary.

LECTURA C

¿Comprendiste?
1. Los mercados son grandes e interesantes.
2. Venden animales, productos y artesanías/flores, frutas y verduras.
3. Puedes ir al mercado en Cuenca el domingo y el jueves.
4. No hay mercado el viernes.

¿Qué piensas?
Answers will vary.

Etapa 3

VOCABULARIO A

Actividad 1
1. zapatería
2. café/restaurante
3. librería
4. farmacia

Actividad 2
1. contador
2. llamas

3. taller
4. una limonada
5. la oficina

Actividad 3
Answers will vary. Possible answers:
1. Me gusta comer pasta.
2. Me gusta levantar pesas.
3. Me gusta usar la computadora.
4. Me gusta ver la televisión.

VOCABULARIO B

Actividad 1
1. barrer el suelo
2. planchar la ropa
3. sacar la basura
4. quitar el polvo

Actividad 2
1. las tapas, porque no son muebles
2. el casete, porque no es una joya
3. el invierno, porque no es un deporte
4. la plaza, porque no es transporte
5. el paquete, porque no es comida

Actividad 3
Answers will vary. Possible answers:
Haz ejercicio. Nada. Corre. Levanta pesas. Come más fruta.

VOCABULARIO C

Actividad 1
1. Andrés va a lavarse los dientes.
2. Mis padres van a leer.
3. Voy a escribir.
4. Vamos a lavarnos la cabeza.
5. Mariana va a sacar fotos.

Actividad 2
Answers will vary. Possible answers:
1. comer, hablar, pedir, servir
2. escuchar música, comprar un casete, alquilar un video
3. caminar, ver animales, practicar deportes
4. ir de compras, comprar algo, trabajar
5. hablar, ver la televisión, descansar

Actividad 3
Answers will vary.

GRAMÁTICA A

Actividad 1
escribí
leí
compré
saqué

Actividad 2
1. Estudia cada noche.
2. Siempre haz la tarea.
3. Habla español en la clase.
4. Toma un buen desayuno.

Actividad 3
1. Mañana vamos a ir al parque.
2. Mañana mis padres van a comer en un restaurante.
3. Mañana vas a cruzar la avenida.

4. Mañana Diego va a escuchar música.

GRAMÁTICA B

Actividad 1
Answers will vary. Possible answers:
1. José va a tomar un examen.
2. Mi mamá va a hacer una ensalada.
3. Mis abuelos van a viajar a España.
4. Voy a lavarme los dientes.

Actividad 2
Order may vary.
1. Haz la cama.
2. Lava los platos.
3. Pasa la aspiradora.
4. Quita la mesa.
5. Limpia el cuarto.

Actividad 3
Answers will vary.
1. Fui…
2. Comí…
3. Mis padres…
4. Vi…

GRAMÁTICA C

Actividad 1
1. estudió
2. leí
3. vino
4. fuimos
5. hizo

Actividad 2
1. está leyéndolo/lo está leyendo
2. están limpiándolo/lo están limpiando
3. estás viéndola/la estás viendo
4. está barriéndolo/lo está barriendo
5. están lavándolos/los están lavando

Actividad 3
Answers will vary.

LECTURA A

¿Comprendiste?
1. el centro comercial
2. los animales
3. la contaminación del aire
4. no hay oportunidades profesionales

¿Qué piensas?
Answers will vary.

LECTURA B

¿Comprendiste?
1. F; Inés pasó cinco días en Quito.
2. F; Inés fue al campo el viernes.
3. F; Fue al campo.
4. C
5. F; Volvió a Miami en avión.

¿Qué piensas?
Answers will vary.

LECTURA C

¿Comprendiste?
1. El primer día de clases fue un día nervioso para Antonio.
2. Antonio y sus amigos

estudiaron las ciencias, las matemáticas, la historia, la literatura.
3. En la cafetería Ana tocó la guitarra y los estudiantes cantaron.
4. En el parque los estudiantes ayudaron a la gente a limpiar la basura.
5. Antonio va a disfrutar del verano y descansar un poco/va a recordar el año que tuvo y pensar en el nuevo año que va a tener.

¿Qué piensas?
Answers will vary.